◉文＝沙月樹京

★《食卓》2019年、530×455mm、油彩／キャンバス

椎木かなえ

SHIIKI KANAE

想像力掻き立てる奇妙で可笑しな世界

JN012168

★《母性》2023年、910×606mm、油彩 / パネル

★《肖像3》2024年、273×220mm、油彩 / パネル

★《肖像2》2024年、273×220mm、油彩 / パネル

★《夜が近い》2023年、
180×140mm、油彩 / キャンバス

★《肖像1》2024年、273×220mm、油彩 / パネル

不可思議な状況下、無表情な顔はその背後に何を隠しているのだろう

混沌とした闇の中から探るようにイメージを手繰り寄せて描く椎木かなえ。そこに浮かび上がる顔はおおむね無表情で、奇妙な世界で奇妙な遊戯に耽っている。その場面がとてもシュールに感じる要因のひとつには、そこでおこっていること、おこなわれていることと、顔の無表情さとが乖離していることがあるだろう。その無表情は、その存在が置かれている状況をまったく理解していないか、まったく無関心であるかのように思わせる。いや、無関心を装わざるを得ないほど、深い闇を抱えているのかもしれない。

椎木にしては珍しく人物に動きがあり、しかもちゃんと人が人としての姿を保っている大作《走る》においても、顔はまだ無表情。何を携え何を目指しているのか、その表情に覆い隠されている。対して《肖像》の3点においては、赤い唇で無理矢理表情を作り出そうとしているのが印象的だ。

その表情の真意を解き明かそうとしても、手中をするりとすり抜けていってしまうだろう。だから椎木かなえの作品は、いつまでもわれわれの想像力を喚起し続けるのだ。

（沙月樹京）

★《陰鬱な遊び〜糸〜》2020年、530×455mm、油彩 / キャンバス

★《走る》2023年、2424×910mm、油彩 / パネル

★《やればできる》2023年、130×140mm、油彩 / パネル

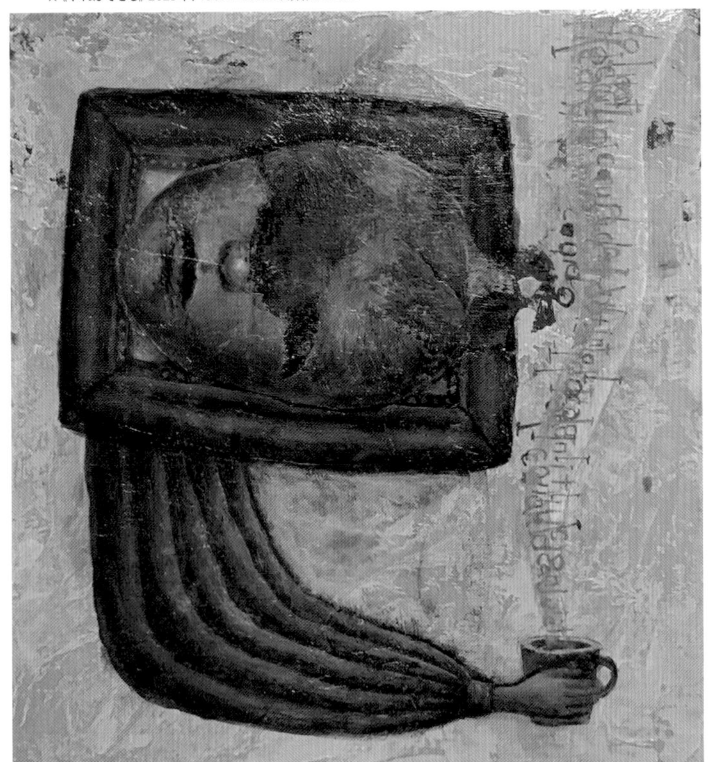

★《Take in the air》2019年、130×140mm、油彩 / パネル

※椎木かなえ 個展「白日の夢」は、2024年1月20日〜31日に、大阪・中崎町のSUNABAギャラリーにて開催された。

◉文＝志賀 信夫

★《審判》2023年、160×120cm、キャンバスに油彩

坂元　唯 SAKAMOTO YUI

★《死者の日》2023年、60×90cm、キャンバスに油彩

★《雪中の狩人》2024年、70×100cm、キャンバスに油彩

★《ダンサー》2023年、200×160cm、キャンバスに油彩

意味ないものの組み合わせに惹かれる

★《グッドトリップ》2024年、60×80cm、キャンバスに油彩

★《神々の宴》2023年、140×180cm、キャンバスに油彩

★《EDEN》2023年、95×145cm、キャンバスに油彩

★《宗教と自然》2023年、70×100cm、キャンバスに油彩

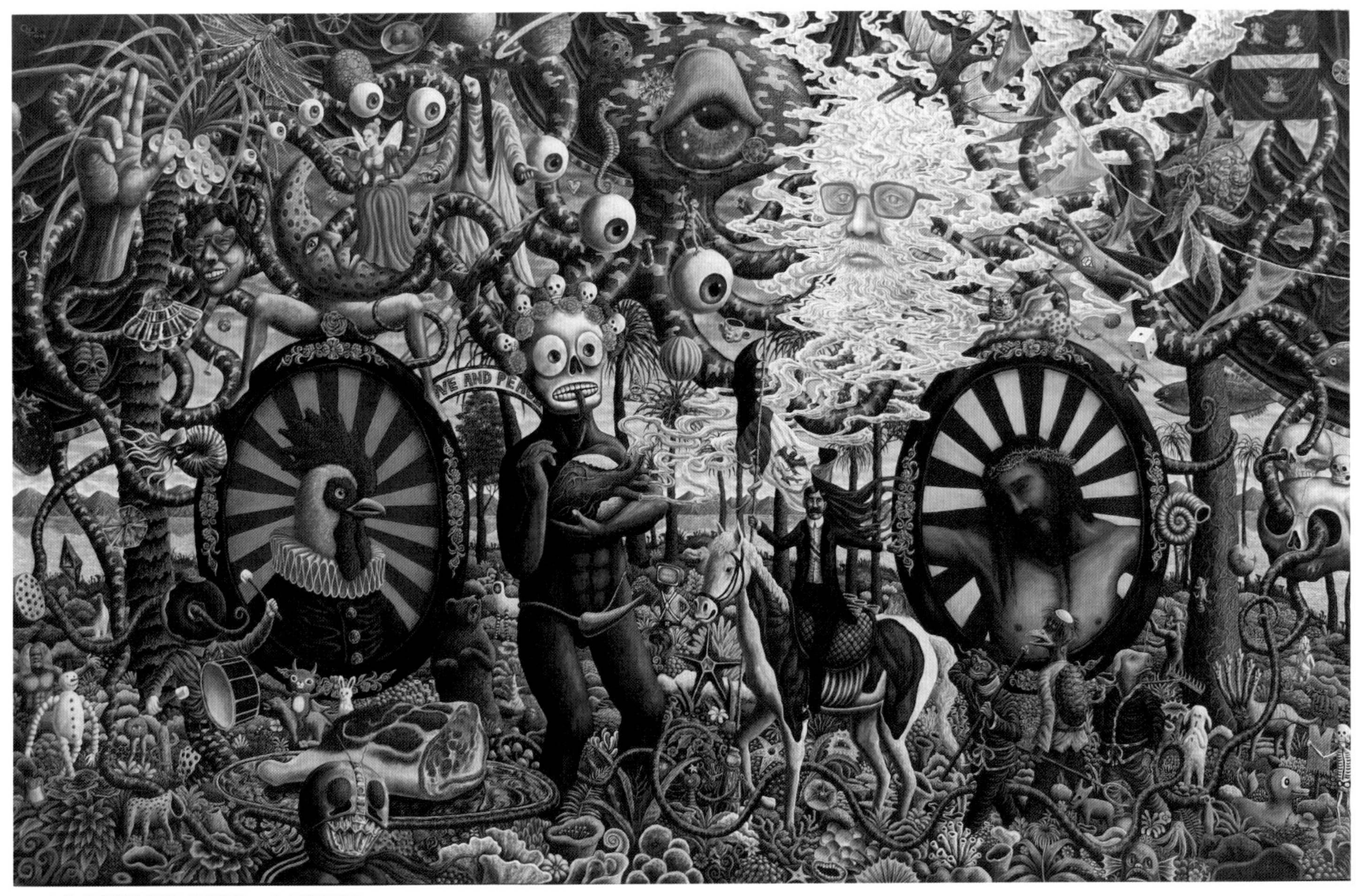

★《カオスの世界》2023年、140×230cm、キャンバスに油彩

★《mallevs malefcrvm》2022年、120×180cm、キャンバスに油彩

★《聖セバスチャン》2022年、160×120cm、キャンバスに油彩

メキシコの匂いを漂わせた ポップでシュールな幻想世界

メキシコの原色のパワーに高揚

坂元唯の作品には、一目見たときに、目を奪われた。なんとも見たことのない、凄い作品だと感じた。調べてみると、メキシコに定住しているということで、ちょっと納得した。どこがメキシコ的かと問われると答えにくいが。

メキシコや中南米では、シュルレアリスムが一九二〇年代のブルトン当時よりもずいぶん後に広まり、現地にある先住民の宗教などと交じり合って、マジックリアリスム（魔術的現実主義）と呼ばれるものが、一九六〇年代以降、特に文学において花開く。ホルヘ・ルイス・ボルヘスの『伝奇集』『幻獣辞典』、ガブリエル・ガルシア＝マルケスの『百年の孤独』などに代表され、メキシコではカルロス・フエンテスが有名だ。坂元の作品は、そういったマジックリアリスムの感覚を感じさせるのだ。彼のこれらの作品は、どうやって生まれたのか。そして、彼はなぜメキシコにいるのだろうか。

坂元が美術を志したきっかけの一番最初は、小学生のときに熱中して真似した漫画『ドラゴンボール』（一九八四〜九五年）だった。だから最初は美術というよりも漫画家に憧れていた。でも、ストーリーを全然書けず、次第にポスターやイラストに興味を持ったので、高校のデザイン美術科に進学した。高校では、屋上に上がる階段の壁にスプレーでグラフィティを描いて、めちゃくちゃ怒られた。バレないだろうと思ったが、先生が絵を見て、だれが描いたのか一瞬でバレた。

そして高校を出ると、すぐイタリアに渡った。イタリアでは、ビザを取るために語学学校に通っていたが、すぐに飽きて自作の人形を作って、いろんな街の人形劇をするところで、ポスターや人形を作っていた。その後はヨーロッパの鉄道の乗り放題格安チケットを買って、各地の美術館をとにかく片っ端から見て回った。

日本に戻ると、父親が日本語学校教師としてメキシコに赴任することになったので、一緒について行って、メキシコで暮らし始めた。イタリアで海外生活に慣れていたので、不自由はなかったという。そして、ヨーロッパとは違う原色のパワーのある色彩に高揚した。その後、メキシコのモンテレイ大学（UDEM）のアート学科に入る。そこでは、版画、写真、立体、油絵、デザイン、デッサン、歴史などを網羅した講義で楽しかった。特に絵画の歴史では、ヨーロッパの美術館を見て回った作品が、どんな意味

★《死の魔法》2022年、120×180cm、キャンバスに油彩

を持って、どんな背景があるかなど、自分の足りない部分を補完できた。さらに、メキシコの絵画、歴史、文化を学んだことが、現在描いている絵の多文化をミックスすることにとても役立っているという。

彼の作品のポップな感覚というのは、ドラゴンボールから始まっていた。そこに欧州の古典絵画、さらにメキシコが交じり合っていく。

なんでもありというスタイル

坂元は、以前からさまざまなスタイルで絵を描いていて、ダリの影響を受けた油絵や、村上隆やウォーホルの影響を受けたポップアート、漫画の影響を受けたイラスト、バスキアの影響下のグラフィティで壁に落書きなど、スタイルを決めないで、好きなときに好きなものを描いていた。そして、これらを全部合体させたら面白いだろうと思って描き始めたが、なかなかうまくまとまらない。だが、だんだんそのまとまらない感じが面白くなって、なんでもありという、現在のスタイルになっているという。

ところで、メキシコといえば、フリーダ・カーロやディエゴ・リベラ、シケイロスなどの壁画運動で知られる。それを尋ねたところ、彼はその頃の画家にもとても影響を受けているそうだ。シュルレアリスムやキュビスムをヨーロッパで学んできた画家たちが多く、それを捨て去ってメキシコ独自の絵画に昇華させていることに対して、坂元はヨーロッパの絵画を学んできたため、絵画の新しい世界を見せてもらったという。何より、自分の国の文化のアイデンティティを確立させた、すごい時代を作り出した画家たちだと思っている。そして、メキシコの民芸品やタペテ（刺繍、テキスタイル）の模様などの影響はとても受けているそうだ。

確かに、坂元の絵には、どこかフリーダ・カーロと似た雰囲気を感じる。また、多くの人物や物を描き込むところは、リベラらの壁画に似たところがある。いやむしろ、メキシコ絵画の匂いが強く漂っているといってもいい。

身体感覚とシュルレアリスム

坂元の作品には、身体感覚が強いと感じられたので、身体について尋ねると、彼は、「全員死んで骸骨になる」ということは常に考え、死をいつもどこかテーマとして描き、メキシコの「死者の日」にも強い影響は受けているそうだ。「死者の日」は毎年十一月一日と二日、お墓を飾

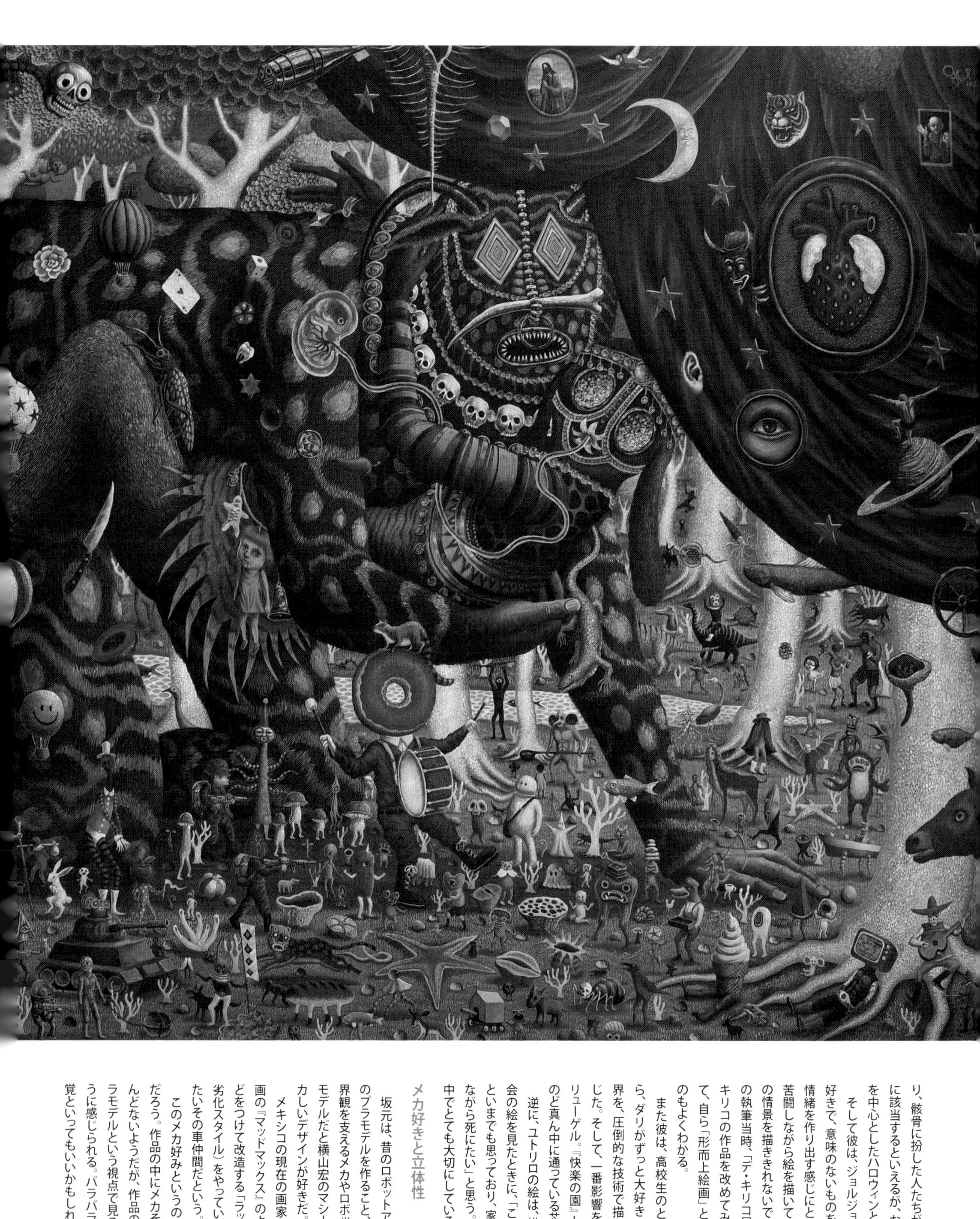

り、骸骨に扮した人たちがパレードを行う。日本のお盆に該当するといえるが、お盆よりもずっと派手で、死者を中心としたハロウィンという感じだ。

そして彼は、ジョルジョ・デ・キリコの作品がとにかく好きで、意味のないものを組み合わせて不思議な感情、情緒を作り出す感じにとても憧れている。いまでも悪戦苦闘しながら絵を描いているが、まだ自分のそういう心の情景を描ききれないでいるという。ちょうどこの原稿の執筆当時、「デ・キリコ展」が東京で開催されていた。キリコの作品を改めてみると、マネキンを主人公にして、自ら「形而上絵画」と名付けた世界に引き込まれたのもよくわかる。

また彼は、高校生のとき、初めて作品を見たときから、ダリがずっと大好きな画家の一人だ。不思議な世界を、圧倒的な技術で描くのはとても強い説得力を感じた。そして、一番影響を受けている画家は、ボスとブリューゲル。『快楽の園』と『死の勝利』は彼の現在の絵のど真ん中に通っている芯の部分になっているという。

逆に、ユトリロの絵は、描きたい絵ではないが、白い教会の絵を見たときに、「こんなにほしくなった絵はない」といまでも思っており、家に飾りたい絵で、「この絵を見ながら死にたい」と思う。その見たときの思いを自分の中でとても大切にしているそうだ。

メカ好きと立体性

坂元は、昔のロボットアニメ、漫画が好きで、ロボットのプラモデルを作ること、宮崎駿が作り出すアニメや世界観を支えるメカやロボット、ボトムズやガンダム、プラモデルだと横山宏のマシーネンクリーガーなどのメカメカしいデザインが好きだ。

メキシコの現在の画家との交流は、SNSが中心。映画の『マッドマックス』のように、錆びた車にガラクタなどをつけて改造する「ラットロッド」（ホットロッドの経年劣化スタイル）をやっていて、付き合いがある友人はだいたいその車仲間だという。

このメカ好みというのも、坂元の特徴の一つでもあるだろう。作品の中にメカそのものを描きこむことはほとんどないようだが、作品の人物や動物などを、メカやプラモデルという視点で見ると、共通するところがあるように感じられる。バラバラのものを組み立てるという感覚といってもいいかもしれない。

★《裁判官》2022年、90×80cm、キャンバスに油彩

★《自画像2023》2023年、160×160cm、キャンバスに油彩

★《愛の森》2023年、120×180cm、キャンバスに油彩

シュルレアリスムの絵画では、コラージュが特徴の一つだ。紙を切り抜いて組みわせることが一般的だが、それが、ダリがロートレアモンから引いた、「手術台の上のミシンとコーモリ傘の出会い」を成立させることも多い。だが、坂元の作品は紙のコラージュではなく、立体的な事物の組み合わせという感じなのだ。それは彼が好むメカやプラモデルの立体性からくるのだろう。さらにそれは、キリコの作品とも共通するといってもいい。

今後の活動は、個展が三年先まで埋まっているので、それを成功させるのが当面の目標だという。そして、作品作りでは、いま取り組んでいるのはシュルレアリスムとキュビスムの融合を模索しており、最終的には抽象画を描きたいが、まだまだ満足のいく形が見つからないと結んだ。彼の作品は、その緻密さと独特の美しさから、今後、ファンが増えるだろう。ぜひとも、日本で作品を発表してほしいものだ。

（志賀信夫）

◉写真＝田中 流／文＝沙月樹京

★《理解と把握》2020年、450×550mm、油彩・木材・石塑粘土

★《成》2023年、450×400mm、油彩・石塑粘土

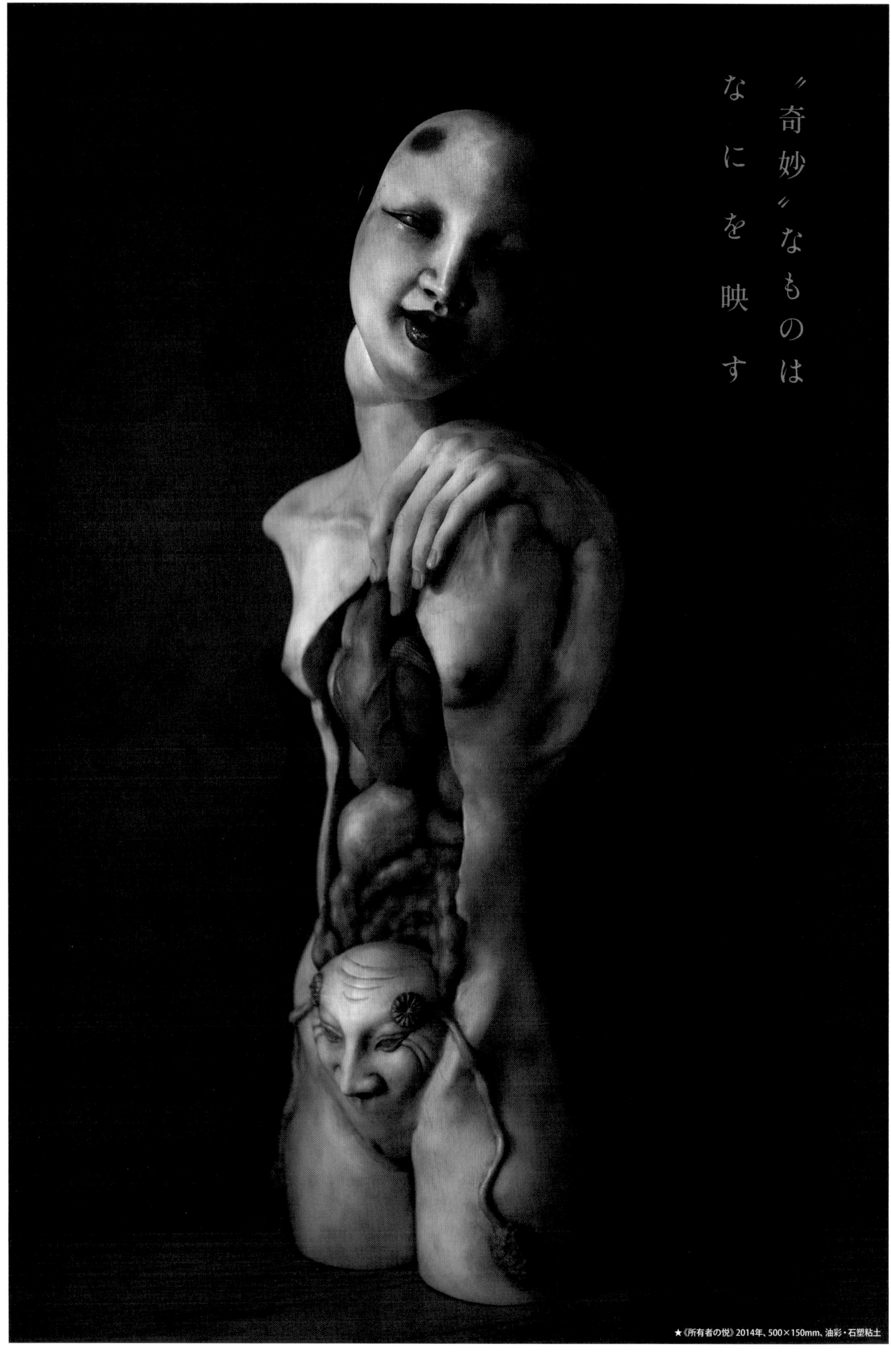

★《所有者の悦》2014年、500×150mm、油彩・石塑粘土

★《1600》2018年、500×200mm、油彩・石塑粘土

★《性母》2015年、600×180mm、油彩・グラスアイ・石塑粘土

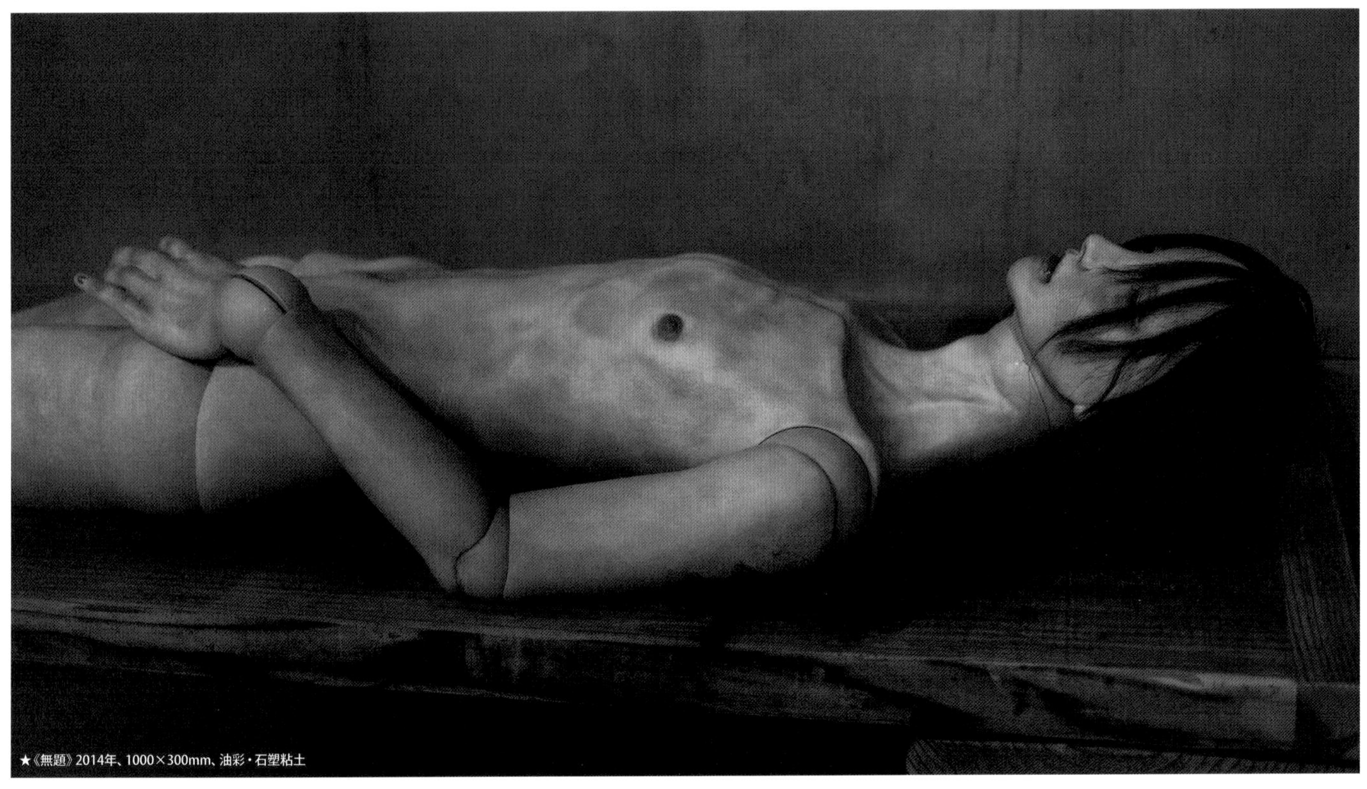

★《無題》2014年、1000×300mm、油彩・石塑粘土

★《愚者の希望》2014年、450×250mm、油彩・木材・石塑粘土

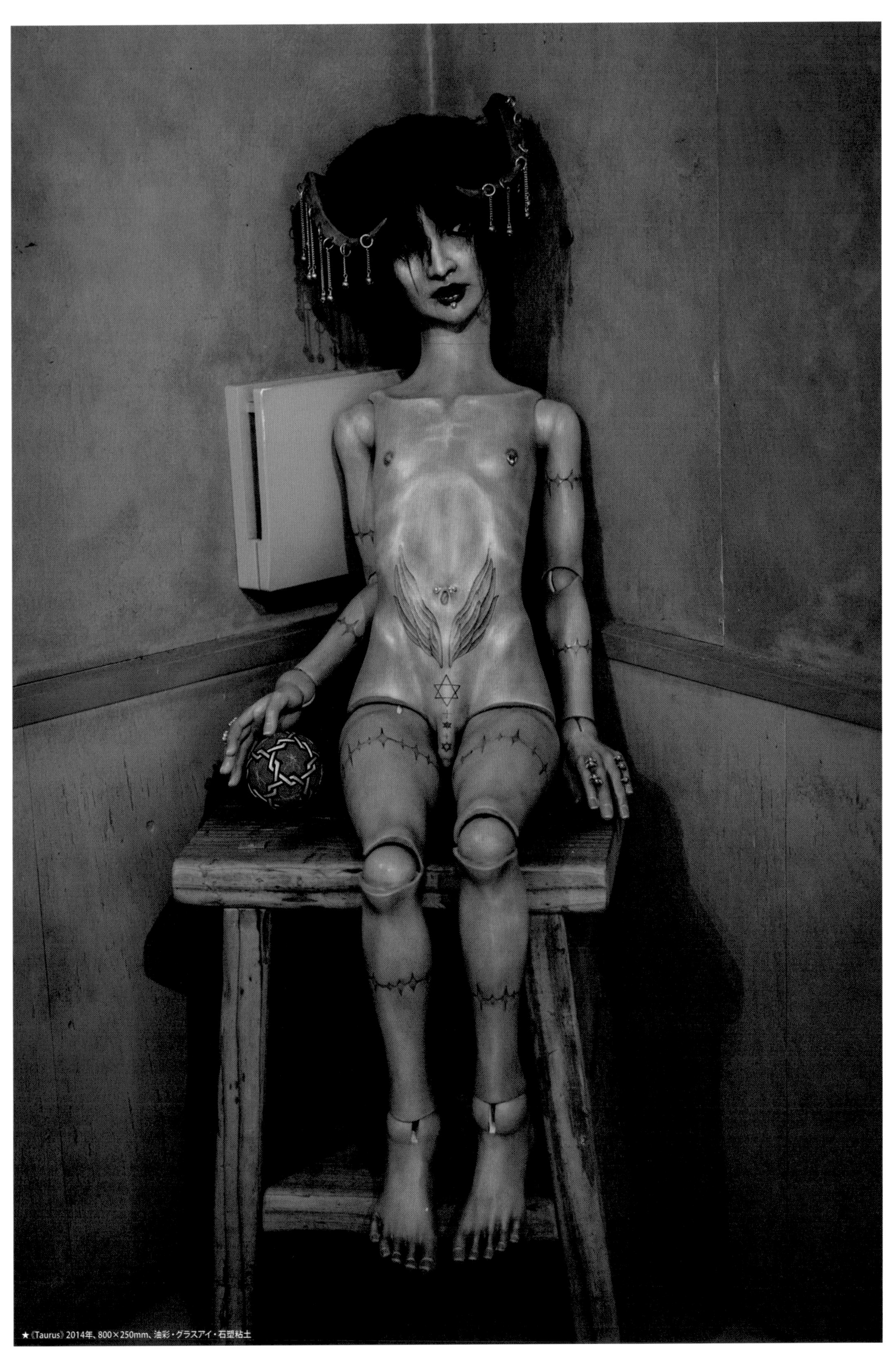

★《Taurus》2014年、800×250mm、油彩・グラスアイ・石塑粘土

★（右）《Neomonachus》2023年、750×250mm、油彩・グラスアイ・石塑粘土
（左）《Orlaya》2023年、750×250mm、油彩・グラスアイ・石塑粘土

★（右から順に）
《D5》2023年、300×250mm、油彩・グラスアイ・石塑粘土
《D7》2023年、300×250mm、油彩・グラスアイ・石塑粘土
《D1》2023年、300×250mm、油彩・グラスアイ・石塑粘土
《D9》2023年、300×250mm、油彩・グラスアイ・石塑粘土
《D3》2023年、300×250mm、油彩・グラスアイ・石塑粘土

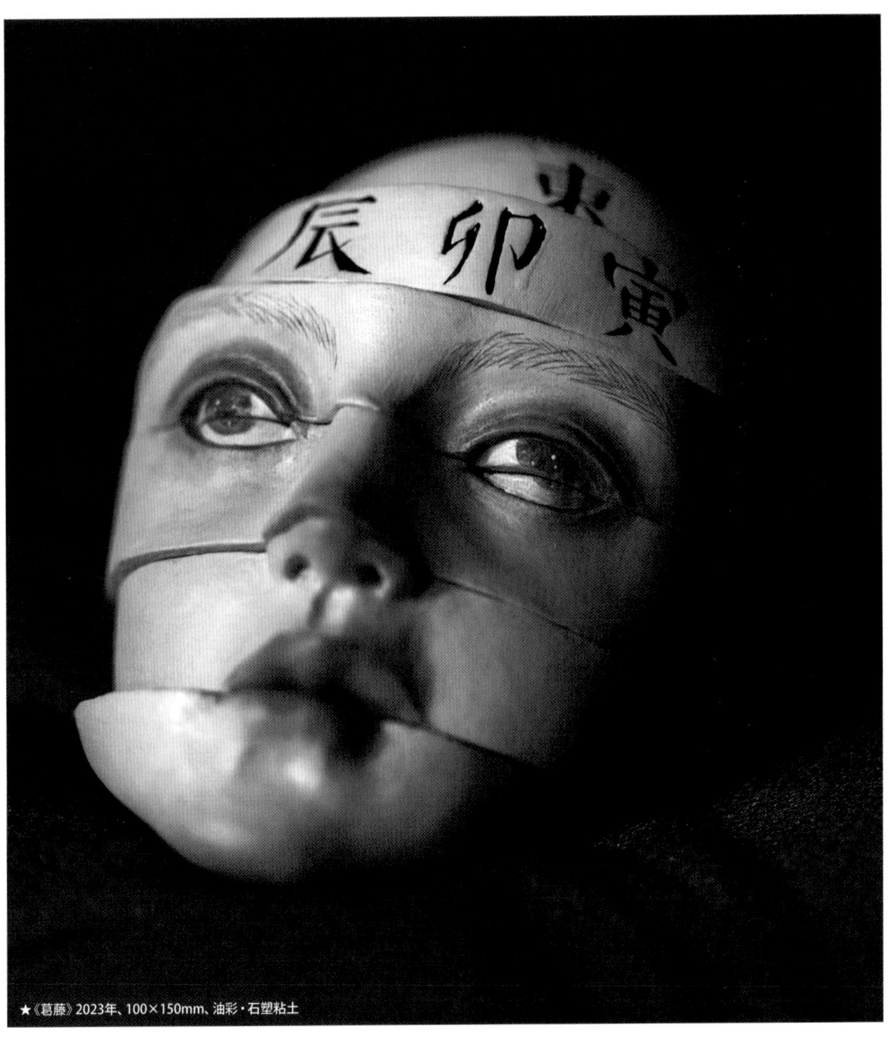

★《葛藤》2023年、100×150mm、油彩・石塑粘土

★（右上・左上・左下）《ヒャッハー（平）》2017年、150×250mm、油彩・モデリングキャスト
（上記以外）《人の子（平）》2016年、150×250mm、油彩・モデリングキャスト

★《幼虫》2014年、650×150mm、油彩・石塑粘土
球体はいずれも《ヒャッハー（玉）》

★《ヒャッハー（玉）》2016年、60×60mm、油彩・モデリングキャスト

★展示風景

白日のもとに「結露」した
感情や社会の狭間にうごめく
得体の知れないもの

画廊の扉を開けると、薄暗い空間。そこに、奇妙なヒトガタがずらりと並んでいる。日本髪で胸に赤々とした心臓を露出させた女性像。視線を下腹部に落とせば、へその下からひとつ目が不気味な視線を投げかけている。かと思えば、あらわになった内臓の下に人面をおさめている女性像もある。恍惚とした表情のその女性と人面は、どのような関係にあるのだろう。その間には、小さく短い足と直角に曲がった首を持つ者が。顔には図形が刻まれ、身体にも奇妙な模様、そして頭から鎖が垂れる。そして奥には、顔が割れて、赤い断面に目のようなものがいくつものぞいている者もいる……。

まるで場末の見世物小屋に迷い込んでしまったかのような感覚さえ抱く。顔がいくつも輪切りにされた頭像は、妖しい占術師が使う占いの道具かなにかだろうか。ほかのも、呪物だと言われれば、納得してしまうかもしれない。

しかし、これらをそのように想像するのは、観る側の勝手な思い込み。個人の思考や感情、生きている社会と個々との関係性、そのはざまにある得体の知れないものがそこに具現化されているとしたらどうだろう。それらを観て抱く印象は、自分自身のなかに潜んでいた「何か」なのであり、その有象無象を、白日のもとに出現させたのが――個展タイトルに倣っていうと「結露」させたのが――yの作品なのかもしれない。

今回の個展では、可愛らしく着飾った球体関節人形やバストアップの立像も展示されていた。そして不穏な表情をしたお面や、「ヒャッハー」と奇声をあげているかのようなキモ可愛いお面や球体も。ひとりの作家が制作したとは思えないヴァリエーションだ。

その掴みどころのなさがyならではだといえる。それに幻惑されていると、それらがまとう不可思議な物語にますます嵌まり込んでしまうだろう。その迷宮はとても奥深い。

（沙月樹京）

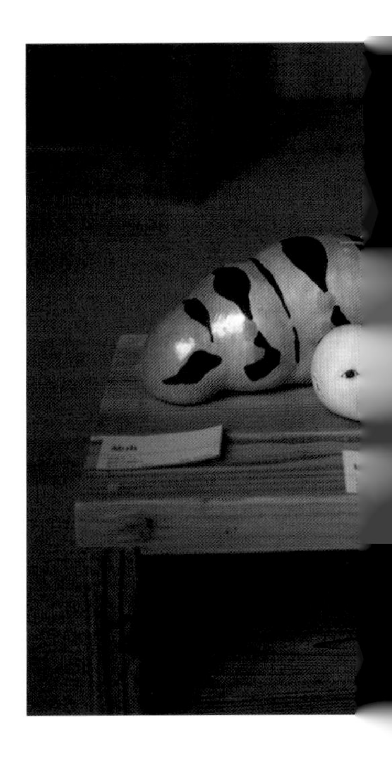

※ y 個展「結露」は、2024年2月15日〜19日に、東京・曳舟のgallery hydrangeaにて開催された。

◉写真＝田中 流／文＝沙月樹京

日隈 愛香

HINOKUMA AIKA

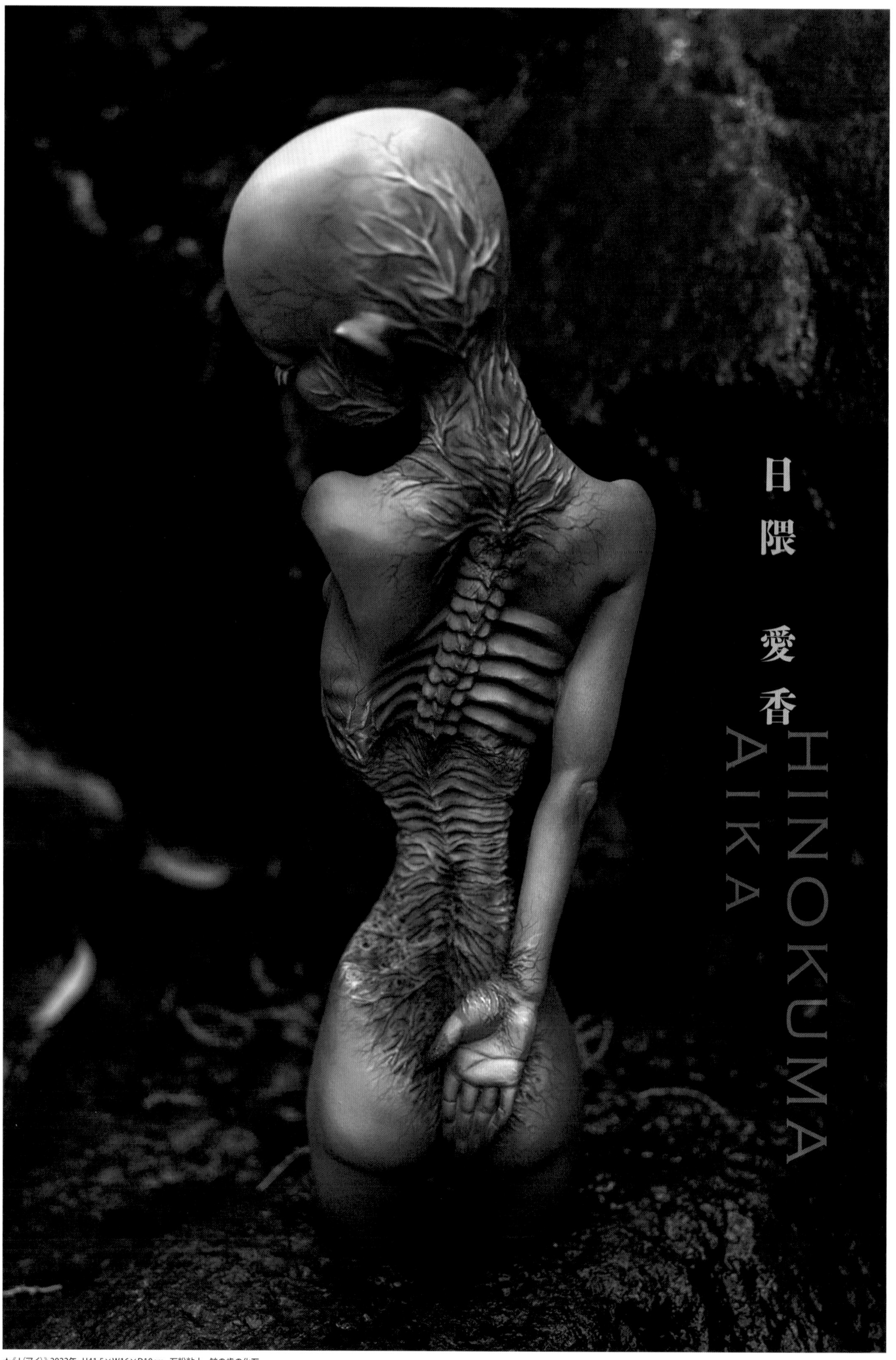

★《I（アイ）》2022年、H41.5×W16×D10cm、石粉粘土・鮫の歯の化石

★《殻（から）》2020年、H35×W13×D9cm、石粉粘土・和紙

愛おしい形を追究し
立ち現れた
異形の美

露出する骨や血管、傷や縫い目に、痛々しさを感じる者もいるかもしれない。手足が異様に細かったり欠損していたり。目も潰れていたり。

だがそれらは、決して被虐されたものではない。日隈愛香にとって愛おしいもの、美しい姿を追究していくと、そのような姿が立ち現れてくるのだろう。

そこに、朽ち果てていくことの美を感じ取ってもいいだろう。生きるものはみな等しく死を迎え、朽ちて土に還る。その過程において虚飾が剥がされ、その存在が本質的に秘めていた美があからさまになる。そのさまを日隈は夢想しているのかもしれない。

ヒトガタではあるが、人形とも彫刻ともオブジェともつかない作品たち。7月に開かれる個展では、ぜひ、それら小さきものが放つ命の響きにじっくり耳を傾けたい。作品集も出版される。

（沙月樹京）

◉日隈愛香 個展「響命」―作品集出版記念展―
2024年7月25日（木）～29日（月）会期中無休
13:00～18:30（最終日～17:00）入場無料
場所／東京・曳舟 gallery hydrangea
Tel.03-3611-0336
https://gallery-hydrangea.shopinfo.jp/

◉日隈愛香 作品集（仮）
上記個展にて先行発売予定！
発行・アトリエサード、発売・書苑新社

★《cell（セル）》2016年、w55×H13×D15cm、石粉粘土・和紙・釘・糸・珊瑚

★《環（たまき）》2020年、H28×W10×D10cm、石粉粘土・和紙

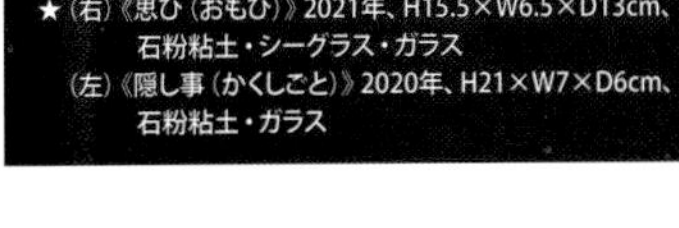

★（右）《思ひ（おもひ）》2021年、H15.5×W6.5×D13cm、
石粉粘土・シーグラス・ガラス
（左）《隠し事（かくしごと）》2020年、H21×W7×D6cm、
石粉粘土・ガラス

★《沁（しん）》2023年、w45×H8×D11cm、石粉粘土・和紙・貝殻・珊瑚

◉写真＝田中 流／文＝沙月樹京

★黒沢理菜《菓子器『蒼』》2020年、
漆・銀粉・錫粉・貝／輪島塗
変わり塗り・螺鈿・平蒔絵

★五月女晴佳《Red lip》2024年、
乾漆技法・塗立て・漆・麻布

黒沢理菜 KUROSAWA RIINA × 五月女晴佳 SOTOME HARUKA

★五月女晴佳《Jealousy》2024年、
乾漆技法・塗立て・漆・麻布

唇やヒトガタが
漆でより艶めかしく

★黒沢理菜《月子》2018年、漆・金粉 / FRPに漆絵・色粉蒔絵・平蒔絵・呂色仕上

★黒沢理菜《月子》2018年、漆・金粉 / FRPに漆絵・色粉蒔絵・平蒔絵・呂色仕上

★五月女晴佳の作品
（右上）《Femme fatale》2023年、乾漆技法・呂色仕上げ・漆・麻布・雲母粉
（右下）《THE RED LIPS》2018年、乾漆技法・塗立て・漆・麻布
（左の写真の上から）
《One day Lip series「Dark kight」》2022年、
乾漆技法・呂色仕上げ・漆・麻布・銀露粉
《One day Lip series「chubby」》2023年、
乾漆技法・塗立て・漆・麻布
《One day Lip series「Hangover」》2022年、
乾漆技法・呂色仕上げ・漆・麻布・雲母粉・金粉

★五月女晴佳《くちびる》2017年、
乾漆技法・呂色仕上げ・漆・麻布

★黒沢理菜《澄子》2024年、
呂色仕上げ、塗立て、闇蒔絵

★展示風景

独自の表現で漆ならではの魅力を発信した2人展

深紅の画面の中央に、やはり深紅のぷっくりつややかな物体。唇のような形だが、少々歪んでいて溶けかかっているかのようにも見える。それがちょっと口をすぼめた後、大きく開いて声を反響させる。キャッチコピーは「好きならば言え」。2023年のモード学園のCMだ。そのメインビジュアルとなる唇を制作したのが、五月女晴佳。人の表情の要でありコミュニケーションを司る「唇」をモチーフに作品作りをおこなっている作家だ。

一方、黒沢理菜が主に手がけるのは人形だ。田中流 球体関節人形写真集『Dolls 2』にも収録されているが、一見して他の人形作品とは少々異質。目がなく、光沢のある身体は真っ黒だったり色とりどりの花が描かれていたり。しかしそれでいて実に生き生きとしたポーズをとって、身体全体で饒舌に語りかけてくる。

その黒沢と五月女との2人展が開催された。ふたりに共通するのは、漆芸作家だということだ。そう、その作品のつややかな光沢は、漆によるもの。漆はご存知の通り、日本でも縄文時代から使われてきた伝統的な素材である。硬化すると熱や湿気、油などに強くなり、また塗りの美しさから食器や家具などに使われている。しかしふたりが取り組んでいるのは、そうした実用品とは一味違う表現。漆ならではの特質を用いて、これまでにない造形物を生み出している。

もちろん、五月女は東北芸術工科大学修了後、2020年から3年間、金沢卯辰山工芸工房に入所、黒沢も京都市立芸術大学で漆を学ぶなど、いずれも伝統技法をきちんと身に付けている。そのうえで、従来の枠組みに囚われない漆の表現でその魅力を伝えようとしているのだ。そのひとつが、今回の展示のタイトルにもある「艶」の表現だろう。そのなめらかな光沢、しかしそれは強固でありながら冷たい輝きではない。唇や身体はその漆によって、まさに艶かしい存在感を放っている。

ギャラリーは通りに面した壁が大きなガラスになっている構造で、そこから降り注ぐ外光も漆の「艶」の魅力を引き立てた。刻々変わる光が、漆にさまざまな表情を与え、観る者の印象をさらに深くしたにちがいない。日本において長く親しまれている漆のさらなる魅力に触れられた展覧会だったといえよう。

（沙月樹京）

※黒沢理菜×五月女晴佳「外への艶 内への艶」展は、2024年3月21日〜31日に、東京・西荻窪のArt+Craft Gallery 蚕室（さんしつ）にて開催された。

TOPICS

空想漫遊者的藝術展

Curiosite's Esthetics

★鐘江銘浩（※）

★Platinum circus

★鐘江銘浩（左頁も）（※）

★鐘江銘浩

★会場風景

★Freak

★Kittens Ankles
（ヴィンテージのぬいぐるみ）

★鐘江銘浩（※）

★鐘江銘浩

★（上）中井結（下）Risa Mehmet

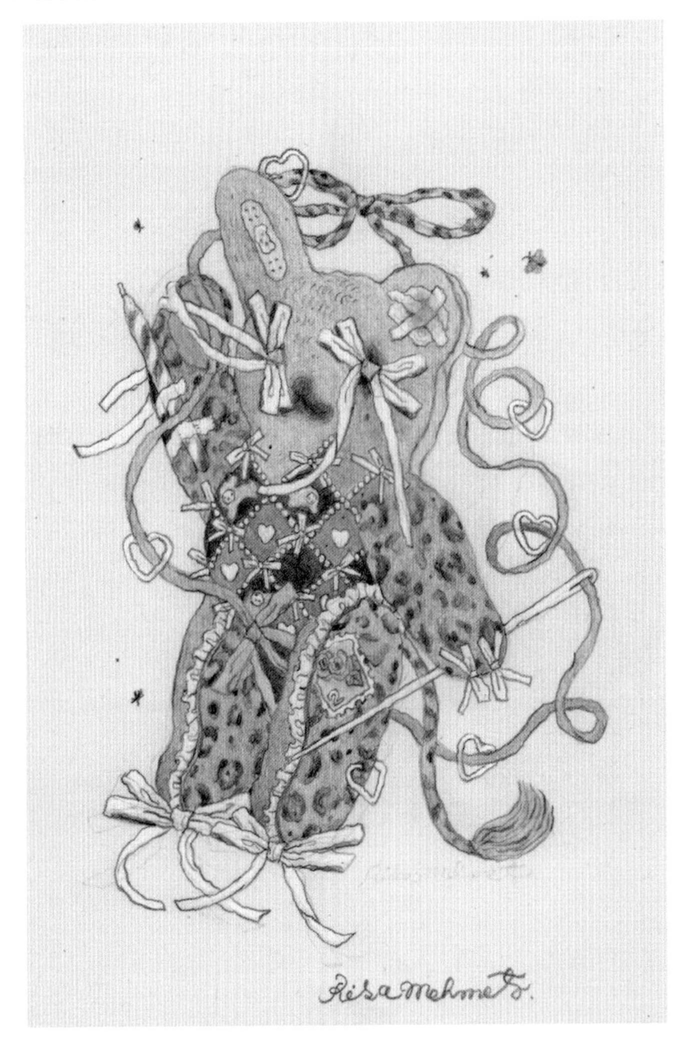

★（右頁）清水真理

★TopazDoll

この展覧会では、清水真理以外に3人の中国人の人形作家が参加したが、鈴木李佳（TopazDoll）とPlatinum circusは日本在住のため、今回の誌面では唯一中国国内からの参加となった鐘江銘浩をメインに取り上げさせていただいた。鐘江銘浩は景徳鎮在住。2016年に独学で人形制作を始め、2022年より人形教室を主宰している。なお（※）を付けた写真はアトリエで撮られたもの。

★鐘江銘浩

人形、絵画からファッションまで上海の熱気を感じさせた展覧会

昨今ますます、日本などのアートやサブカルに対する熱の高まりが伝わってくる中国。その上海の外灘（ザ・バンド）地区の鸚鵡画廊にて、中国と日本の現代創作人形作家や画家など10組が集う展覧会「空想漫遊者的藝術展」が開催された。外灘地区はご存知の通り、租界時代の西洋の高層建築が建ち並ぶ観光スポットだ。ギャラリーも数多く点在している。

この展覧会には、日本からは人形作家の清水真理、画家の中井結、Risa Mehmetが、中国からは、鈴木李佳（TopazDoll、人形・日本在住）、鐘江銘浩（人形）、Platinum circus（人形・日本在住）、潘英豪（日本画）、李唯亲（日本画）、Freak（剥製人形）に加え、上海発のファッションブランドSublunaryが参加した。

展覧会の主催は、2012年に上海でそのSublunaryを立ち上げたファッションデザイナーのNivash。Sublunaryとは月の下の世

★Sublunary

★Sublunaryのヴィジュアル担当Mak／右はそのヴィジュアルのひとつ

★Sublunaryのデザイナーであり、今回の展覧会の主催者であるNivash

界のことで、ヴィクトリア朝時代と中国の伝統的なデザインを組み合わせたファッションを展開している。Nivashは今回、「日常を脱ぎ出す、儚いの夢を沈む。」をテーマに、ビスクドール、石塑人形から、ファッション、絵画などまで、まさに月下のような幻想性を醸す作家を集めた。

会期は2日間だけだったが、中国のSNS「小紅書（レッド）」で事前に情報が拡散され、10代から30代を中心に開場前から行列が出来、中にはロリータやゴスロリのファッションの者や、出展作家の人形や絵を持参する観客も。在廊した作家たちはそれぞれサイン会をおこなったが、開場後すぐに完売した作家も少なくなかった。

今回、人形、現代絵画とファッション、アンティーク家具を融合させ、幅広い層の愛好者が集まることで多様性のあるコミュニケーションが実現した。今後も国境を超え、新しい文化の発信源となることを期待したい。

（記事＝Yuumi［上海出身・東京在住のモデル・グラフィックデザイナー］／記事構成＝編集部／協力＝清水真理）

※「空想漫遊者的藝術展」は、2024年5月2日・3日に、上海の鸚鵡画廊にて開催された。

菊地拓史

KIKUCHI TACJI

◉写真＝吉成 行夫／文＝沙月樹 京

★《Untitled (sign)》2000年、ミクストメディア

★《miniatureな慈愛》2000年、ミクストメディア

オブジェに漂う生命の気配

★《Untitled（door）》2023年、ミクストメディア

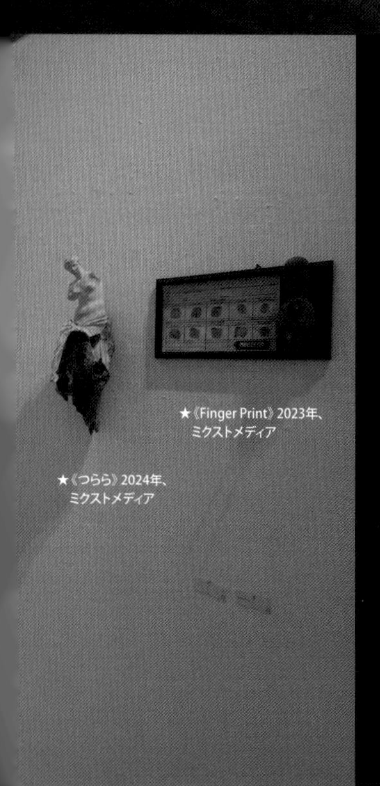

★《Finger Print》2023年、ミクストメディア

★《つらら》2024年、ミクストメディア

★《小さな声の生息地》2017年、ミクストメディア（頭部パーツ：山吉由利子）

★《Long tall chair》2022年、ミクストメディア

★人形：森馨《アナベル・リィ》2023年、
70cm、石塑粘土

★《Untitled (Shellfish dish)》2024年、ミクストメディア

★《Walking Little John Doe〈Hunting trophy〉》
2024年、ミクストメディア

★《フレデリック》2024年、山吉由利子との合作／石塑粘土・木材

★《aDoor》2012年、ミクストメディア

★人形：森馨《琥珀》2012年、
85cm、石塑粘土

存在感あるオブジェが静謐な空間を異次元に変質させる

菊地拓史を空間の魔術師と呼んだら少々大げさだろうか。オブジェ作家であると同時に、さまざまな展覧会の空間演出を手がけている。代表的なものを挙げると、「球体関節人形展」（東京都現代美術館、2004年）、恋月姫個展（アートコンプレックスセンター、2014年）などさまざまな人形作家の展示や、最近では「萩尾望都SF原画展」（アーツ千代田3331、アベノハルカス、2022年）などだ。作品の見え方は展示会場の配置方法やライティング、什器などでだいぶ変わる。菊地はそれを巧みに操ってみせる。

　だがそのマジックは、菊地の生み出すオブジェ作品と共通しているとも言えるだろう。菊地のオブジェはさまざまなものを組み合わせてイマジネーションを喚起する。しかもそれらオブジェに施されたエイジングが、想像力の翼を時間を超えて羽ばたかせる。エイジングは、われわれの知らない永遠の時を過ごしてきたかのような存在感の厚みをオブジェに与えているからだ。

　しかもその存在感は、そのオブジェを取り巻く空間にも影響を与えるだろう。それが空間演出のマジックに通ずる。菊地はオブジェをそこに置くことによって、それの存在する時空間を変質させようとしているのではないか。菊地が生み出そうとしているのはそのオブジェを含む空間そのものではないか、ということだ。

　今回のストライプハウスギャラリーでの個展は、もちろん菊地自身による空間演出で、そうしたオブジェの力を十二分に輝かせてみせた展覧会だった。半地下とさらに地階の2フロアを使った広い会場。半地下は柔らかな外光が会場内にも差し込み、対して地下は照明がかなり絞られ薄暗い。その広々とした空間にオブジェがゆとりをもって点在し、スポットライトに浮かび上がり、中には寂しげに音を響かせ続けるものもある。

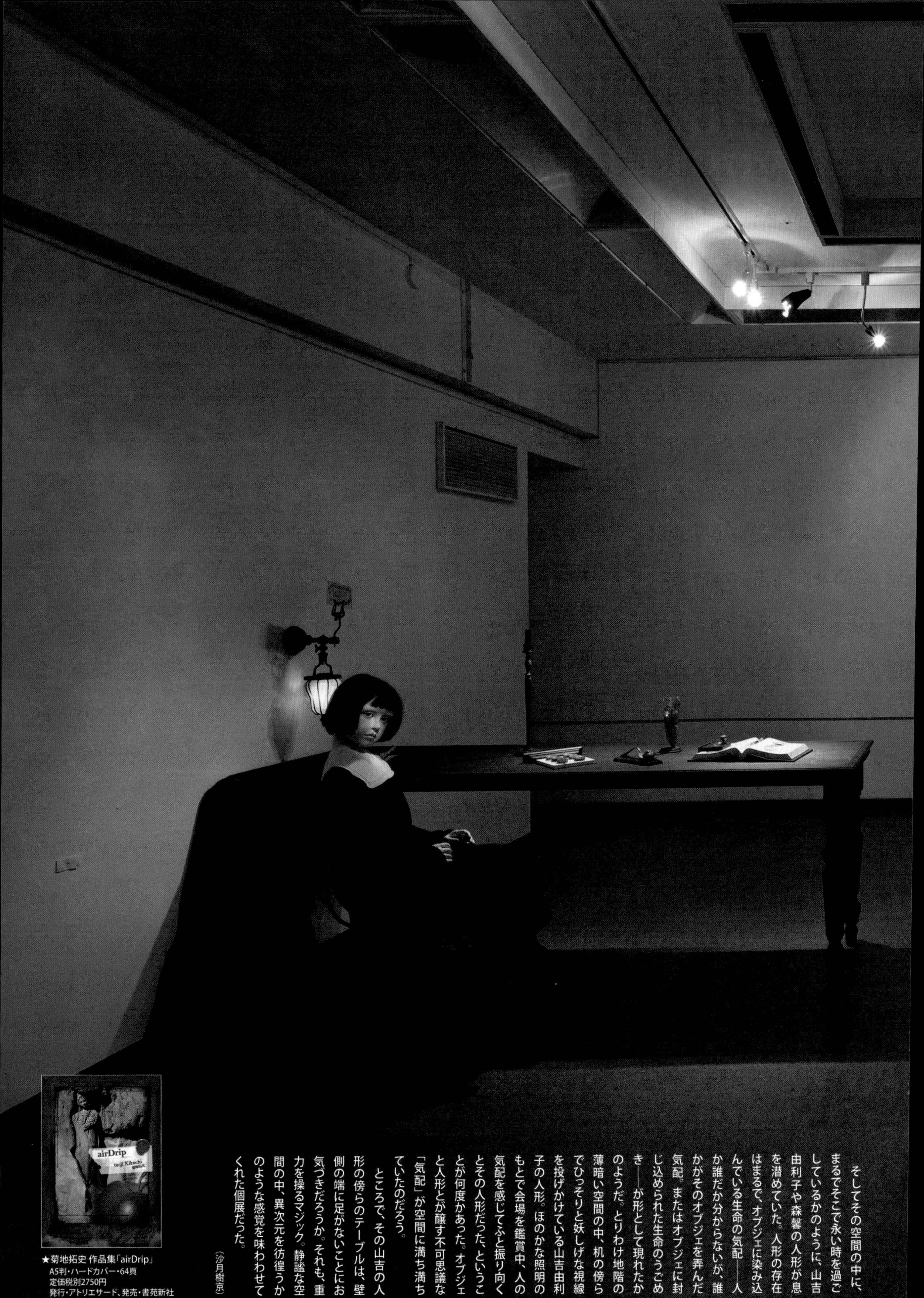

そしてその空間の中に、まるでそこで永い時を過ごしているかのように、山吉由利子や森馨の人形が息を潜めていた。人形の存在はまるで、オブジェに染み込んでいる生命の気配——人か誰だか分からないが、誰かがそのオブジェを弄んだ気配。またはオブジェに封じ込められた生命のうごめき——が形として現れたかのようだ。とりわけ地階の薄暗い空間の中、机の傍らでひっそりと妖しげな視線を投げかけている山吉由利子の人形。ほのかな照明のもとで会場を鑑賞中、人の気配を感じてふと振り向くとその人形だった、ということが何度かあった。オブジェと人形とが醸す不可思議な「気配」が空間に満ち満ちていたのだろう。

ところで、その山吉の人形の傍らのテーブルは、壁側の端に足がないことにお気づきだろうか。それも、重力を操るマジック。静謐な空間の中、異次元を彷徨うかのような感覚を味わわせてくれた個展だった。

（沙月樹京）

★菊地拓史 作品集「airDrip」
A5判・ハードカバー・64頁
定価税別2750円
発行・アトリエサード、発売・書苑新社

※菊地拓史 個展「air Drip」は、2024年3月1日〜10日に、東京・六本木のストライプハウスギャラリーにて開催された。

◉文＝志賀信夫

★《大夢》2023年、220×130×8mm、木彫

福江悦子

FUKUE ETSUKO

木の声を聞き
踊るような
感覚で彫る

★《凍裂》2023年、450×530×33mm、木彫

★《幼夢》2024年、160×110×8mm、木彫

★《逢夢》2024年、190×90×10mm、木彫

★《pneuma》2022年、500×300×20mm、木彫

★《扉》2020年、320×180×24mm、木彫

僧籍などを経てたどり着いた荒さを残す木彫

人形から木彫へ

福江悦子は、現在、木彫作品をつくっている。それはインパクトがあるが、ストイックさも感じさせる作品だ。だが、以前は人形をつくっていたという。そして著名な緊縛師、有末剛と交流がある。さらに、僧籍を持っている。なんとも多様な人物である。そのため、色々と話を聞いてみた。

福江は、幼い頃から絵が得意で、何度か賞ももらっていた。賞を取ったときに、小学校の担任が「ロダンと日本展」(二〇〇一年)の招待券をくれて、展覧会に初めて行き、そのとき大きな「考える人」に衝撃を受けた。そして、ポストカードを買いすぎて帰りのバス賃が足りなくなったという。家は裕福ではなかったが、賞のお祝いにホルベインの木箱の絵の具セットを買ってもらった。中学校の頃は、粘土で手を作る授業で、自分の手をモデルにして作っていて脳がバグってしまい、「自分は立体はできない!」と思った。高校は商業系で、卒業後すぐに就職したので、美術の大学には行っていないという。

そして、福江は二十代後半には、輸入民芸、雑貨の店を経営し、絵、布、面、人形を好んで仕入れていた。店の移転で暇になったとき、商品の人形を見て、これなら自分でも作れると思い作り始めた。最初はオリジナルを作っていたが、京都に住んでいたときに、「昔人形青山」で、北海道の球体関節人形作家の伽井丹彌(かいあけみ)を紹介され、北海道に帰ってから、習いに行った。だが、その後、彼女は木彫をつくるようになった。それはどうしてだろうか。

福江は、人形をいったん休んで、塑像、石彫などを一通り習った。そして、釧路に移転したとき、阿寒の前田一歩園財団の間伐材利用プロジェクトに参加して、木材をもらった。それをきっかけに、木の球体関節人形や木彫刻を作るようになった。

だが、球体関節人形の繊細さ、装飾的な表現が自分に合わない気がして、もっと素材感を生かして、大胆な表現をしたいと思っていた。そして人物デッサンや彫刻を勉強したいと思っていたら、ちょうど彫刻の先生と出会った。佐藤忠良に師事した人で、その人に一から教えてもらったが、木彫を一点作っただけで札幌に転居したので、あとは我流でやっているという。いわゆる木彫の技法はあまり習得できておらず、チェンソーやグラインダー

★《西陽》2014年、1200×450×48mm、石膏

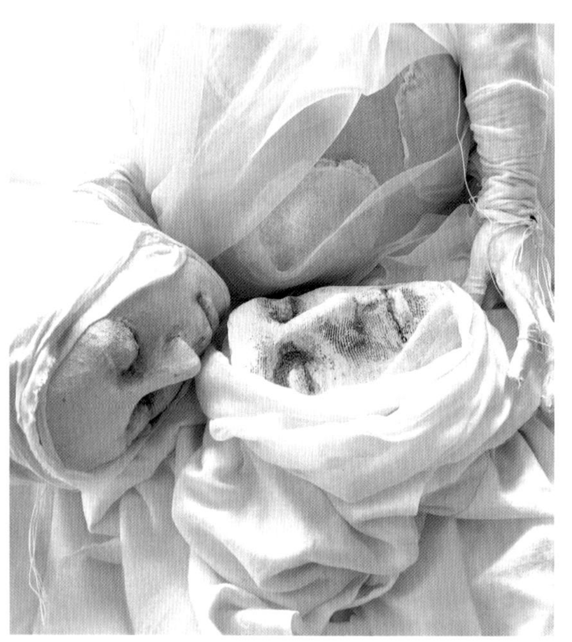

★《パフォーマンス人形、面》2024年、石粉粘土・布・羊毛

★《心友》2022年、1500×300×28mm、木彫

でざっくり作っている。大きく切り落とした断面など、エッジのきいた部分を残したほうが好きで、鑿(のみ)を使うのは少しだ。

福江の木彫の魅力の一つは、その荒さだろう。荒々しさというほど激しくはなく、ざっくり削った自然な感じというところだ。そして、顔などを大胆に切ったと思える作品のインパクトはとても強い。だが、福江は意図して作品を削ったのではない。間伐材などを利用して、切られた断面を生かして制作しているのだ。

緊縛と僧籍――精神の呪縛からの解放

福江は、筆者も旧知の縄師、有末剛と交流があるらしい。それについて、尋ねてみた。

彼女は、札幌に転居したとき離婚協議中で仕事もアトリエもなく、うつ状態で生活も一からの立て直しだった。そんなとき、たまたま友人に連れていかれたフェティッシュバーで、いろんな性癖の人に出会い、それまで自分が閉じ込めていたものが開かれ、解放感があった。そして、そこのマスターに誘われて、有末の緊縛会に緊縛を習いに行ったら、縛られることに目覚めたという。確かに、緊縛では、縛られることで解放感を感じる人が多いと聞いている。信頼した相手に拘束されることは、不自由でありながら、精神的に解放されることもあるのだろう。

そして福江は、次の就職を探すよりも、ススキノで仏教とエロスとアートの話ができる店をやろうと考え、有末の推薦と監修で、BAR & GARELLY「卍」を開いた。福江はそのとき、僧籍を持っていたので、自分の性癖や体験をさらしつつ、愛や性について悩む人たちの心を開く店だった。年に数回、有末の緊縛イベントや緊縛写真展も開催し、いろんなジャンルの表現者を数多く紹介され、展示やイベントをしたが、二〇二三年九月、小樽への転居を機に閉店した。ただ、福江自身は、現在も緊縛モデルとして、写真作品やパフォーマンスをしているという。

だが、彼女はなぜ僧籍をもっているのだろうか。それは、彼女が幼い頃から、人生に深く悩んできたからだ。

福江は北海道の旭川市に生まれ、生活が困窮していたため、十歳のとき、伯母から「おまえは生まれてすぐ、捨てられそうになった」といわれて傷つき、幼い頃から離人感があった。その頃から繰り返し見る悪夢がある。知らない老人の顔の皺が虫になりぼろぼろ崩れ、突然、地

★《をんな》2023年、230×30×4mm、木彫

★《ねむり》2022年、200×80×6mm、陶土焼成

★《ねむり》2022年、210×60×9mm、陶土焼成

★《shadow》2020年、450×200×35mm、木彫

★《遠景》2020年、340×260×18mm、木彫

★《安夢》2024年、320×200×24mm、木彫

割れがして真っ逆さまに落ちる夢だ。

彼女は、高校卒業後、就職したが、不安神経症でやめ、二十二歳で交際相手と東京で暮らすが、拒食症で帰郷。二十五歳で二十二歳上と付き合い、三十歳のときに、寺の住職と同居。そのときに、仏教が自分の迷いに答えをくれる道と思って、二〇〇一年、一年間で僧籍が得られる京都の大谷専修学院に入学する。そして、やっと安住できる場所に来られたと感じ、母親とも和解した。

だが住職とは別れ、三十六歳で初めて結婚するが十カ月で離婚し、うつ病を発症。そして前述の彫刻家と再婚して、夫から彫刻を学び、一年後には公募展に入選するが、その夫とは四年で別れた。

これらの心の遍歴を聞くと、やはり幼いころの親類の心ない言葉が、彼女に強い影響を与えたことがわかる。自分は親に捨てられる存在だったという思いが、自己否定につながり、葛藤のなかで安心できる相手を探し求め、その過程で僧籍を得た。それとともに、表現活動が福江を解放に導いているように思える。

福江は現在、北海道で活動しているが、京都に住んでいたころ、数回人形や緊縛写真、フェティッシュ寄りのお面やイラストなどを展示し、写真は東京、京都、博多などでも発表した。だがコロナ禍で店を休業したのを機に、小樽にアトリエを構え、制作の時間がかなり取れたので、東京での彫刻展示を積極的に始めたという。

国立新美術館のＮＡＵ展に誘われたのをきっかけに、銀座のギャラリーでのグループ展に参加、初個展は二〇二三年、銀座のギャルリー志門だった。そのときのパフォーマンスを吉祥寺のギャラリーShell 102のオーナーが見に来て、二〇二四年四月に個展を開くことになったという。ちなみに、ギャルリー志門は木彫の展示にも積極的な画廊で、本誌 file.32 でも取り上げた安藤榮作もここで個展を開催してきた。

彼女は、北海道の輸入雑貨の店では、人形を

★《転生》2023年、480×280×24mm、木彫

★《官能菩薩》2023年、1100×300×28mm、木彫

★《I had a revelation in a dream》2020年、550×380×35mm

通してクラフト系の人と活動し、車人形の劇団にも関わった。球体関節人形を作っていたときは、ややアングラ趣味な交流が多かった。ススキノの自分のバーではギャラリー展示もしていたので、北海道内外の作家やギャラリーとも知り合った。バーなので夜向けの展示、宗教的なもの（僧侶仲間の展示）、センシティブな内容のものを積極的に、また、道内の公募展仲間の正統派なものも、その裏も展示して幅広い交流ができたという。

木にうながされて彫る

福江は制作において、指先での繊細な表現や色を使うものよりも、目を細めてあまり見えないようにして、踊るような感覚や、リズミカルに動いて偶然にできた痕に、これだ、と思うことがあるという。そして、木に反発され拒否されたり、うながされたりして、彫る方向を決めているそうだ。

そして、わずかに醸し出す素朴なエロスを意識している。エロスと聞いて、思いつく言葉は、愛。やさしさと激しさ。欠け。生きる喜び。間。無意識に湧き出るもの。起爆剤。死への意識。以前は、エロティックな作品を作ることがあったが、最近、その欲求はなくなった。死や、悲しみ、くやしさ、嫉妬、匂いが間に入るものにエロティシズムを感じるという。

影響を受けた画家、美術家などとしては、人形劇の沢則行、造形作家の友永詔三、画家の畠中光享、古沢岩美、鴨居玲、彫刻の砂沢ビッキ、円空、高村光太郎、佐藤忠良、さらに、ピカソ、ガウディ、アレキサンダー・アーキペンコ、坂本龍一、伊藤晴雨、有末剛、切腹パフォーマンスの早乙女宏美をあげた。そして、仏教、能、華道、文楽、書道、文楽、民芸、舞踏家、漫画にも関心がある。実際に、二〇二四年四月のギャラリーShell 102での個展では、舞踏家の点滅も陶の作品を展示し、パフォーマンスを行った。

今後は、木以外の材料での制作、抽象作品や絵画も制作し、今年は海外の作家とも交流をして、海外で発表やギャラリーの開拓をしたいと考えている。これからの展示は、七月に札幌とニューヨークで、八月には台湾で予定している。彼女はおそらくこれから、かなり活発に制作、発表に邁進すると思う。これまで培ってきたものが作品に現れ、多くの人を魅了する。今後の活躍が楽しみである。

（志賀信夫）

たま TAMA

◉写真（展示風景）＝吉成 行夫／文＝沙月樹京

★展示風景

少女たちは素直に

★《Origin》2023年、474×656mm、透明水彩絵の具・紙・板

Crescent
flare
Asterism

★《Good night and tender dream》2020年、353×277mm、透明水彩絵の具・紙

悪夢のような奇妙で残酷な世界に遊ぶ少女たち

少女主義的水彩画家たまの最新画集『Nighty night』は、夢がテーマ。巻末には、たまが見た夢を題材に、物語作家・最合のぼるとのコラボによるヴィジュアル物語「微睡夢紀行」も収録されている。

　確かにたまの描く世界には、夢のような不条理と、悪夢に味わうような恐怖が漂っている。可愛らしい少女と、水彩ならではの柔らかなグラデーションが、その毒々しさを薄めていると言えるだろうが、よくよく見ると結構残酷なことが描かれていたりする。

　しかも、単なる残酷な一場面というのではなく、物語性やメッセージ性を感じさせるところに、「夢」を想起させるものがあるのだろう。《Origin》では、黒いリボンの少女たちが、沼のようなところに入っていくが、水に浸かったとたんにその部分の皮膚や肉が溶け、骨がむき出しになる。だがそんな凄惨さにもかかわらず、少女たちは無表情にその状況を受け入れているかのよう。沼のどす黒さと空の黒いにじみが不穏さを倍加させ、さらに、目玉のついたキノコが生え、二本足の大根が歩き回り……まさに、悪夢で見るような奇妙な光景だ。

　ヴァニラ画廊の出版記念展では、入口近くに明るいピンク系の色合いの作品が並び、進むにつれて緑や黒などダークな色合いになるよう配置されていた。ピンクだから残酷さがないということではないのだが、もしかしたら観る者は《Origin》の少女のように、だんだん沼にハマっていくような感覚を味わったのではないか。

　たまの描く世界は、混沌と夢の奥深くに分け入って行くかのように、ますます濃密さを増し、飽きさせない。悪夢であろうとそこにどっぷり浸かっていたくなる、そんな魅惑のある世界だ。

（沙月樹京）

★たま

●たま 新画集【Nighty night】出版記念
ポップアップショップ＆サイン会
2024年7月26日（金）〜8月6日（火）水・木休
11:00〜18:00（金曜〜19:00、火曜〜17:00） 入場無料
※サイン会日程など詳細は下記画廊HP参照
場所／大阪・四ツ橋 ART HOUSE
Tel.06-4390-5151 https://art-house.info/

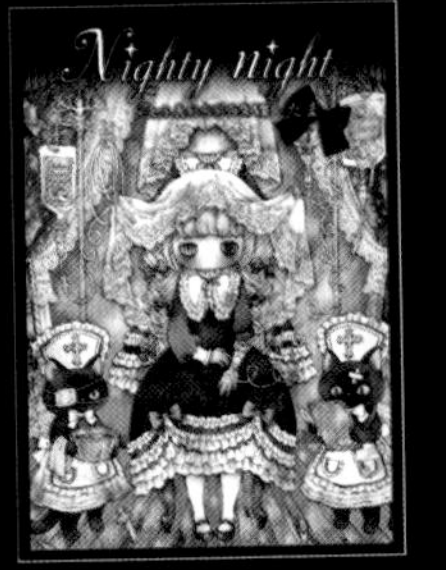

★たま「Nighty night
〜少女主義的水彩画集VIII」
B5判・ハードカバー・64頁
定価税別3000円
発行・アトリエサード、発売・書苑新社

●文＝沙月樹京

★（上）《いとくず》2023年、333×242mm、油彩／キャンバス （下）《くま》2023年、333×242mm、油彩／キャンバス

★《あわい》2023年、530×455mm、油彩 / キャンバス

げこる GEKORU

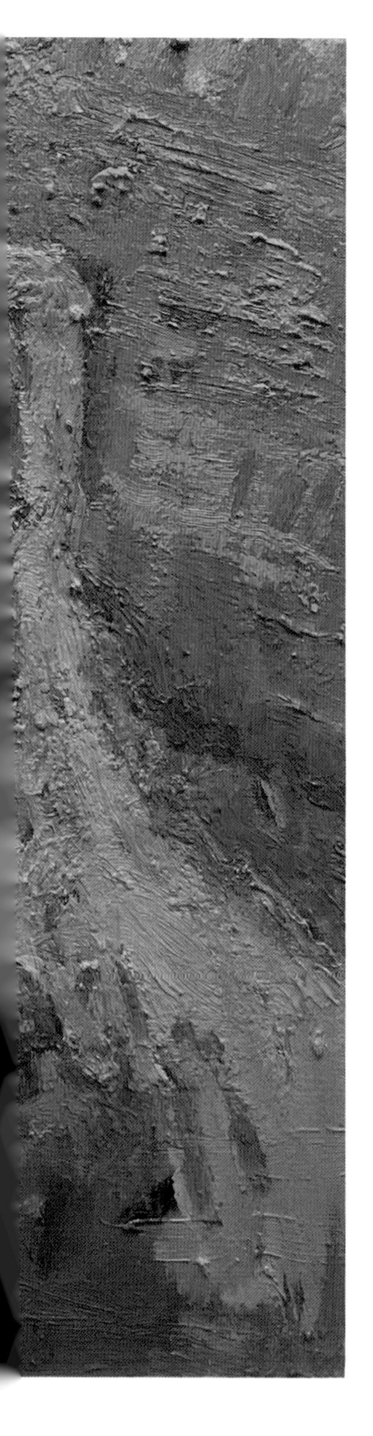

★（右上）《おはよう（緞通）》2023年、
530×455mm、油彩 / キャンバス
（右下）《おやすみ（緞通）》2023年、
530×455mm、油彩 / キャンバス

★《おひるね（緞通）》2023年、910×606mm、油彩 / キャンバス

厚塗りの絵の具に
うっすら浮かぶ顔

★《けむり》2023年、410×380mm、油彩 / キャンバス

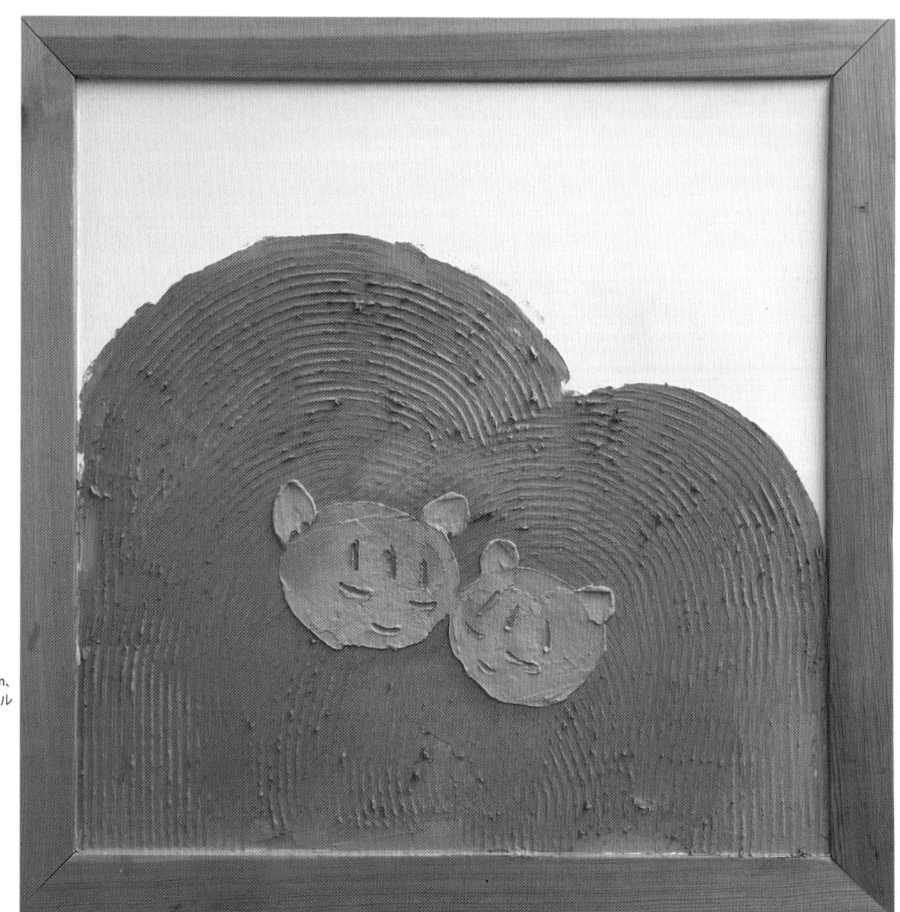

★《やま》2023年、552×552mm、
漆喰 / 漆喰・土・木材・モルタル

★《タイル》2023年、400×400mm、油彩 / キャンバス

★《わすれもの》2023年、552×552mm、チャコールペンシル / 土・木材・竹・麻紐

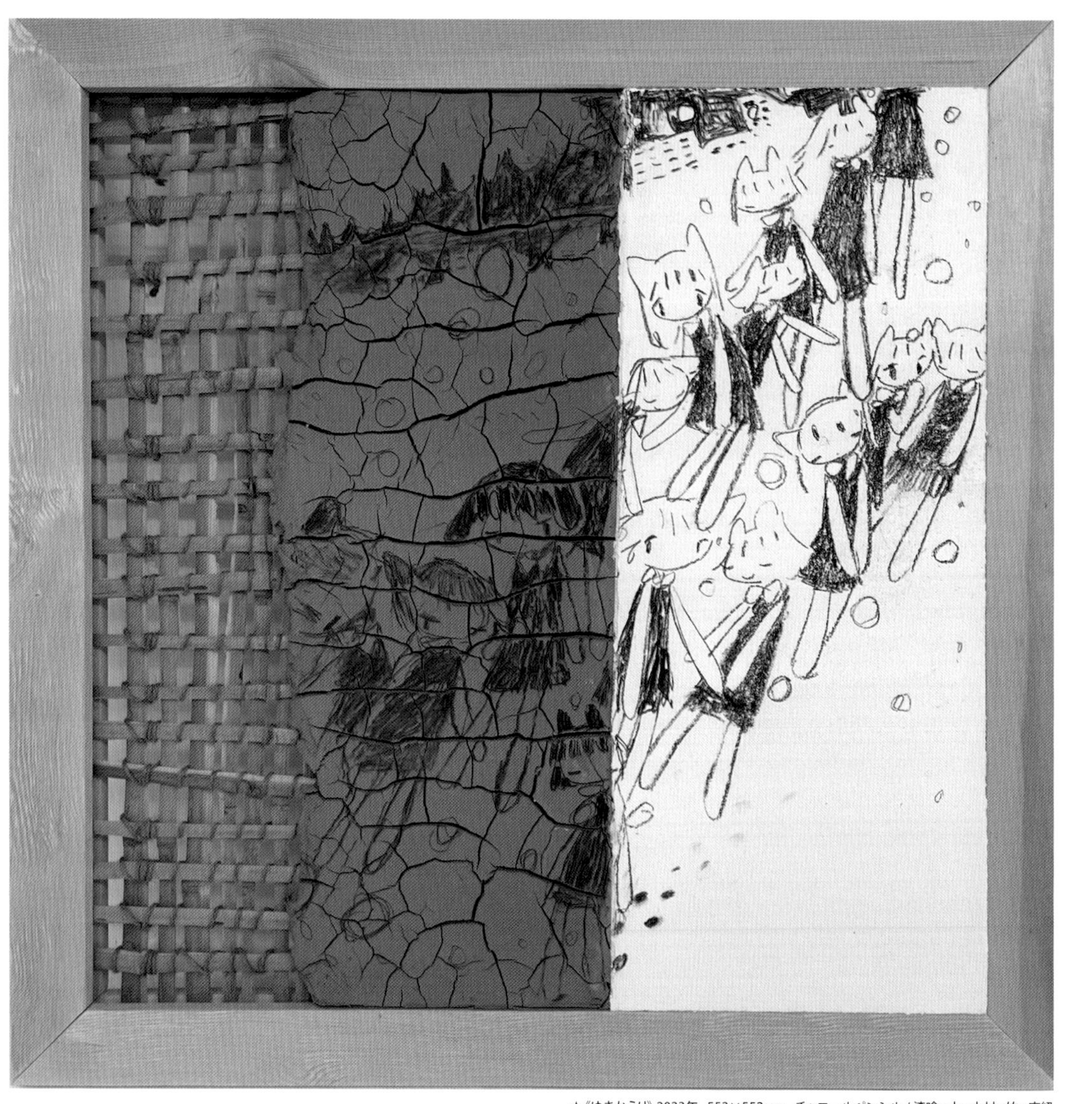

★《ゆきかえり》2023年、552×552mm、チャコールペンシル / 漆喰・土・木材・竹・麻紐

★展示風景

★ステートメント

げこるのホームページ(gekoru.jimdofree.com)を覗けば、ラフに描かれた主に人物の絵が、ずらずらと隙間なく縦に並んでいる。いや、隙間なくどころではなく重なり合い、しかもサイズもさまざまで、いろんな表情の顔がこちらを見つめている。

個展のステートメントはふつう、文章で書かれるものだが、1月にげこるが開いた個展では、手書きの関係図のようなメモがステートメント代わりになっていた。そこではさまざまな単語が線や矢印で繋がれ、線は用紙をはみ出して別の用紙につながり、文字の書き方も乱雑で、隙間なく紙を埋め尽くしている。

そう、隙間なく。

ステートメントで目立つ単語は、たとえば「ある」「ない」、「見える」「見えない」、「内」「外」、「つながる」「つなげる」。そして「間」「あわい」。そこからうかがえるのは、相反するもの同士の関係性であり、しかもそのどちらかの選択ではなく、その間にある、どちらともつかない曖昧な部分、つまり「あわい」への関心である。

物事の関係性を結ぶ「あわい」を探求し続ける

「あわい」において、イメージはうつろい、形を喪失し、見えたと思ったら見えなくなり、あると思ったらなくなり、内と外や、自分と社会を軽々と越境する。ステートメントには「閉じた社会のルール」「広く開かれるオープン感覚」という言葉も見える。何かと効率を重視し明確でわかりやすいものを求める社会に対する懐疑心を、そこに読み取ることができるだろう。

だから「あわい」を求める。

そして隙間がないことは、境界がないこと。つまり、すべてが「あわい」として揺らぎ続けることであろう。

げこるは主に、厚塗りの油彩で描く。一瞥では抽象画に見えてしまうかもしれないが、ちゃんと見れば、そこに顔が描かれているのが分かるだろう。絵の具を塗り重ねながら、キャラクターを探り出し、曖昧で不明瞭な存在として提示する。何かと物事を単純化し、イチかゼロ、良いか悪いかの二分法で判断されがちなこんにち、げこるは、「あわに」にたゆたう弱く儚い存在に目を向け続ける。

(沙月樹京)

★《あけたらしめる》2023年、1600×2000映像/カーテン・針金・カーテンランナー(プロジェクタ別売)

※げこる 個展「あわい」は2024年1月6日〜17日に、大阪・中崎町のSUNABAギャラリーにて開催された。

●文＝沙月樹京

西塚 em

NISHIZUKA
EM

★（右頁）《ロロニー &ロロミー》2023年、182mm×257mm、透明水彩・アルシュ
（左頁）《あくむのくすり》2023年、410×273mm、透明水彩・アルシュ

poison
Dream
Death
love

★《脳散ラス》2023年、530×410mm、透明水彩・アルシュ

★《脳散ラスⅡ 栄養補給》2024年、530×410mm、透明水彩・アルシュ

やりたい放題な無垢なナースたち

★（右頁）《BlueNurse》2023年、
333×190mm、透明水彩・アルシュ
（左頁）《RedNurse》2024年、
333×190mm、透明水彩・アルシュ

蒲黄
人蔘
鹿茸
香
木
AB

★《ゆめみ食堂》2024年、182mm×257mm、透明水彩・アルシュ

★《XXXサンドセラピー》2023年、227×158mm、透明水彩・アルシュ・モデリングペースト

★《安寧を栽培する》2024年、227×158mm、透明水彩・アルシュ・顔彩

★《君が生まれた日に》2024年、180×140mm、透明水彩・アルシュ

★《生成バグ》2023年、227×158mm、透明水彩・アルシュ

★《バグ処理》2024年、180×140mm、透明水彩・アルシュ

★《バスをまつ》2022年、148×210mm、透明水彩・アルシュ

西塚emといえば、イモムシ。可愛らしい華奢な少女が、鮮烈な緑色をした巨大なイモムシをとても愛おしく抱きしめていたりする。しかもそのイモムシはとてもリアル。人によっては気持ち悪いと思う人もいるだろうイモムシと（しかも巨大！）少女との対比は、非常に印象的だ。

　西塚はこのように、虫や花などを愛でるように描く。寄生虫や食虫植物などであっても、グロテスクに感じないような色合い、描き方で、その魅力を表現しようとする。傍らにいる可愛らしい少女も、ある意味、虫などの可愛らしさを投影したものだと言えるかもしれない。虫や花の特徴を少女に擬人化して描いたりもしている。

　そして虫や花などとともに西塚が好んで描いているのが、架空の病院だ。今回、銀座中央ギャラリーで開いた東京では約7年ぶりとなる個展では、その病院がテーマになった。

　そこには、可愛いナースたちがいる。が、そこでおこなわれていることは、どうもとんでもないことばかり。点滴のチューブからは液が漏れ、薬が散乱し、それでもナースは澄まし顔。というか、脳みそが飛び散ったり、その脳みそを食したり、なぜか厚切りの肉が舞ったりと、ありえない光景が展開する。しかも一部に施されたモザイクが、隠さなければならないタブーがおこなわれていることをほのめかす。

　こうした情景が単なるグロテスク以外の魅惑を持ち合わせているのは、水彩ならではの色調と、やはり可愛らしくてユニークなナースたちの存在があるからだろう。ナースたちはにっこり笑っていたり不気味な笑みを浮かべていたりするが、だれもが無垢で、常識にとらわれず、やりたい放題だ。

　そのように、常識とされるものや偏見を軽々と乗り越え、排除されがちな陰鬱なものに光を当てるやり方は、虫などを描くことと共通する。しかも光を当てるだけでなく、西塚のテーマのひとつに共生、寄生があるように、それらと寄り添い、愛情を注ぐ。そしてそれを魅力あるものとして、ときに少しの毒をまぶしながら絶妙なバランスで描き出しているのが、西塚作品の特質なのだ。

（沙月樹京）

★《お目を拝借》2024年、227×158mm、透明水彩・アルシュ・アクリルガッシュ

嫌われがちなものや情景も
可愛らしい少女とともに
魅惑的に描き出す

※西塚em 個展「幻想病院411」は、2024年2月23日〜25日に、東京・銀座の銀座中央ギャラリーにて開催された。

◉文＝沙月樹京

★《悪魔を呼び出すおまじない "Ritual to invoke the devil"》2023年、180×180mm、ペン・透明水彩・マットサンダース紙・木製パネル

青木瞳 AOKI HITOMI

★《地下水槽 "Aquarium in the Basement"》2024年、
180×180mm、ペン・透明水彩・マットサンダース紙・木製パネル

煩わしいものや
愛おしいものを
異形化し、祀る

★《接吻で覆う "Spin a Cocoon"》2023年、
180×180mm、ペン・透明水彩・マットサンダース紙・木製パネル

★《彗星 "comet"》2019年、100×115mm、
ペン・透明水彩・マットサンダース紙

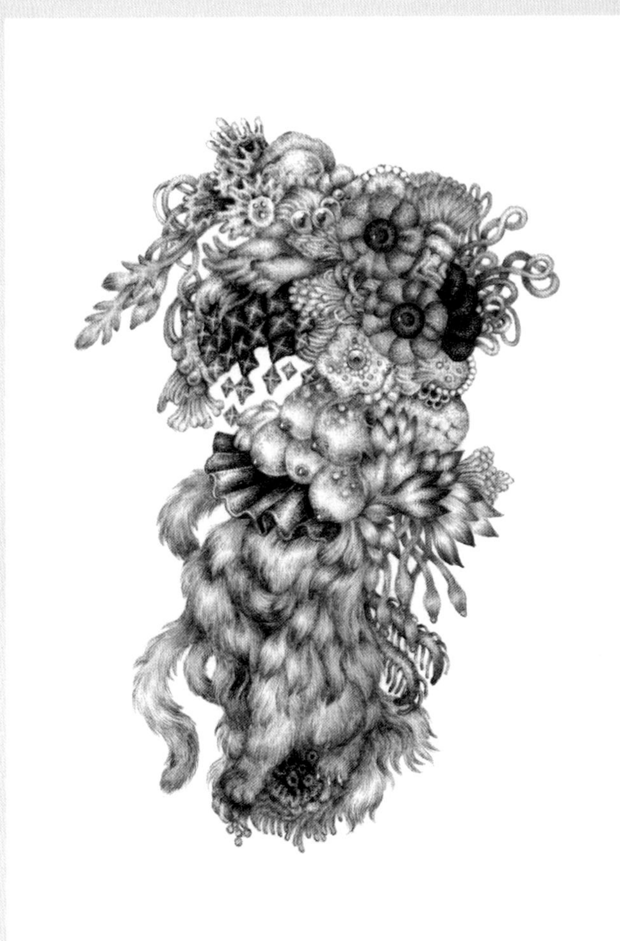

★《彗星II "comet II"》2024年、127×85mm、
ペン・透明水彩・マットサンダース紙

★《あやとり "Cat's Cradle"》2023年、
103×85mm、ペン・透明水彩・マットサンダース紙

★水底の牧神 "Capricorn at the bottom of the water"》2023年、
103×70mm、ペン・透明水彩・マットサンダース紙

★《饗応の支度 "Preparation for the Feast"》2024年、
211×148mm、ペン・透明水彩・マットサンダース紙・木製パネル

★《魔獣をあやす》2024年、103×63mm、ペン・透明水彩・マットサンダース紙

★《おやゆびひめ》2024年、132×77mm、ペン・アクリルガッシュ・透明水彩・マットサンダース紙

★《果樹園での休息 "Rest in the Orchard"》2024年、
80×56mm、ペン・透明水彩・マットサンダース紙・木製パネル

★《うたう みのむし "Singing Bagworm"》2023年、
80×56mm、ペン・透明水彩・マットサンダース紙・木製パネル

★《蔓と冒険 "Climber"》2022年、
80×56mm、ペン・透明水彩・マットサンダース紙・木製パネル

★《幽霊屋敷 "Haunted House"》2023年、
420×297mm、ペン・透明水彩・マットサンダース紙・木製パネル

★《封じられた予言 "Confined Prophecy"》2023年、
180×140mm、ペン・透明水彩・マットサンダース紙・木製パネル

小さな宇宙に緻密に描かれる異形たちの寓話

高密度の線で描かれたペン画。ここに掲載した作品の多くはほぼ原寸大だ。このサイズの紙に、ミリペンで線を引き、点描を加え、水彩で繊細なグラデーションを施す。なんて緻密な作業だ。

しかもそうして生まれた宇宙は、かなり奇妙な世界だ。異形など不思議な動物がいたりと、どこか不穏な空気が漂い、枠に囲われた作品などは（しかもその枠の模様も相当緻密だ）、秘密の儀式を覗き見ているような感覚にさせられる。

その場は、ある意味、祭壇なのだという。そこに、煩わしいものや愛おしいものを異形化し、祀る。不安や恐れの感情に形を与え、物語の一場面として構成する。

作品が小さいがゆえに、それを覗いていると、まさに隠された個人的な寓話（プライバシー）を目にしてしまったかのような、少々背徳的な気分にもさせられる。

しかし異形が描かれているといっても、華美な枠のせいだろうか、宮殿のような空間だからだろうか、厳かさも漂う。きっとそこは、われわれが踏み込んではいけない場なのだ。

大きな作品《幽霊屋敷》は、不思議な遺物のコレクションを描いたものだという。水草のように絡んだ髪は、胎内のような楽園をイメージしているのだそうだ。しかしそこに踏み込み遺物に手を伸ばせば、髪が絡まり捕らえられてしまいそうだ。

青木瞳は、１９８７年岐阜県生まれ。２０１１年に多摩美術大学の大学院を卒業し、ペンで細密かつ装飾的な幻想世界を描き続けている。以前は余白のあるものも多かったが、昨今はますます濃密さが増しているようだ。それとともに、寓話的な物語性がより感じられるようになった。今後その世界の奥行きがどのように広がっていくか、楽しみにしたい。

（沙月樹京）

※青木瞳 個展「Inside the Palace」は、2024年2月22日〜26日に、東京・曳舟のgallery hydrangeaにて開催された。

◉文＝沙月樹京

こやま　けんいち

KOYAMA KEN'ICHI

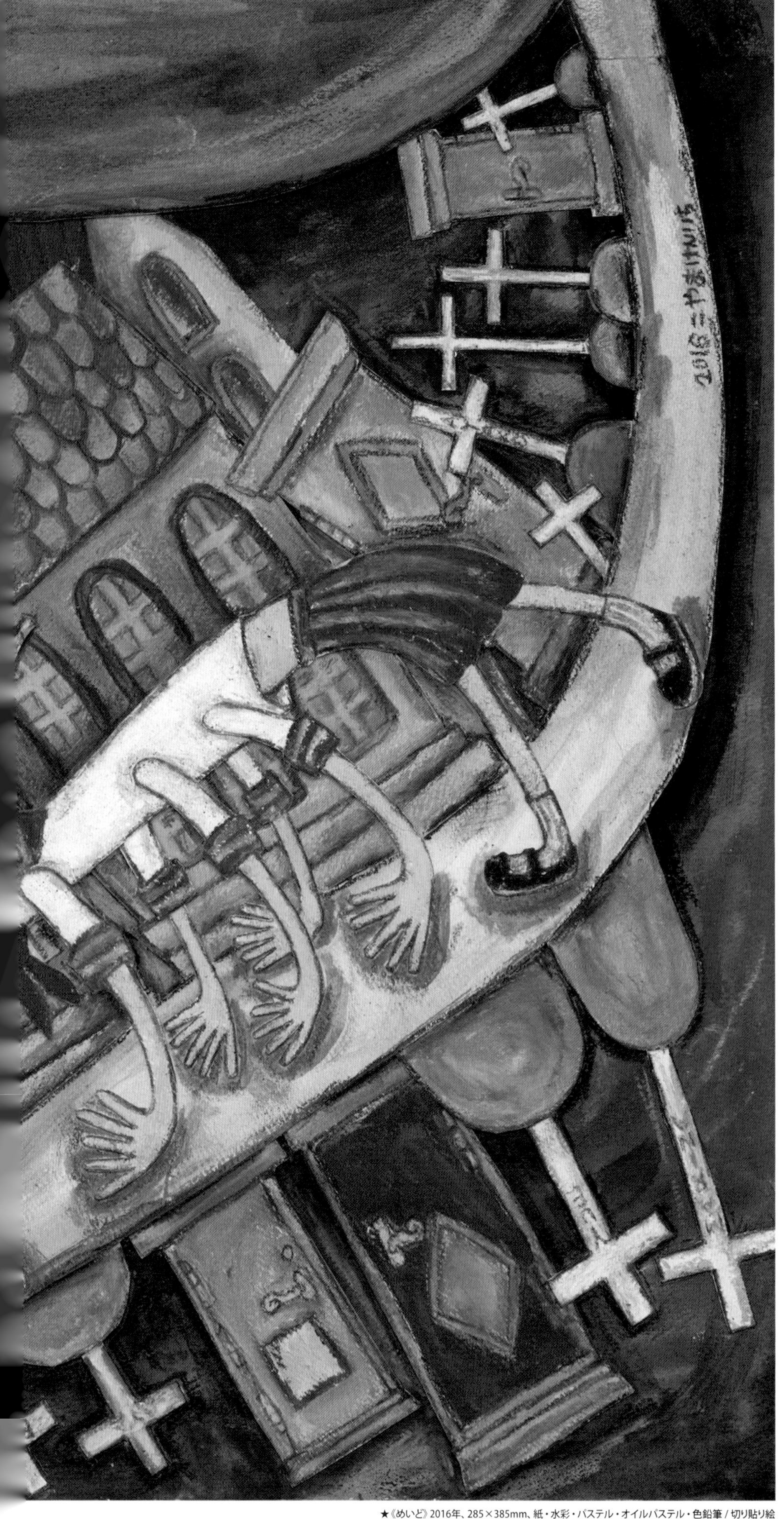

★《めいど》2016年、285×385mm、紙・水彩・パステル・オイルパステル・色鉛筆／切り貼り絵

めいど

あの世と この世を つなぐみち
ぺたぺた歩いて パトロール
いじめっ子を見つけたら
迷わず その子は 地獄ゆき

あの世と この世を つなぐみち
ぺたぺた歩いて パトロール
学校の先生を見つけたら
迷わず そいつも 地獄ゆき

あの世と この世を つなぐみち
ぺたぺた歩いて パトロール
いじめられっ子を見つけたら
いっしょに仲良く パトロール

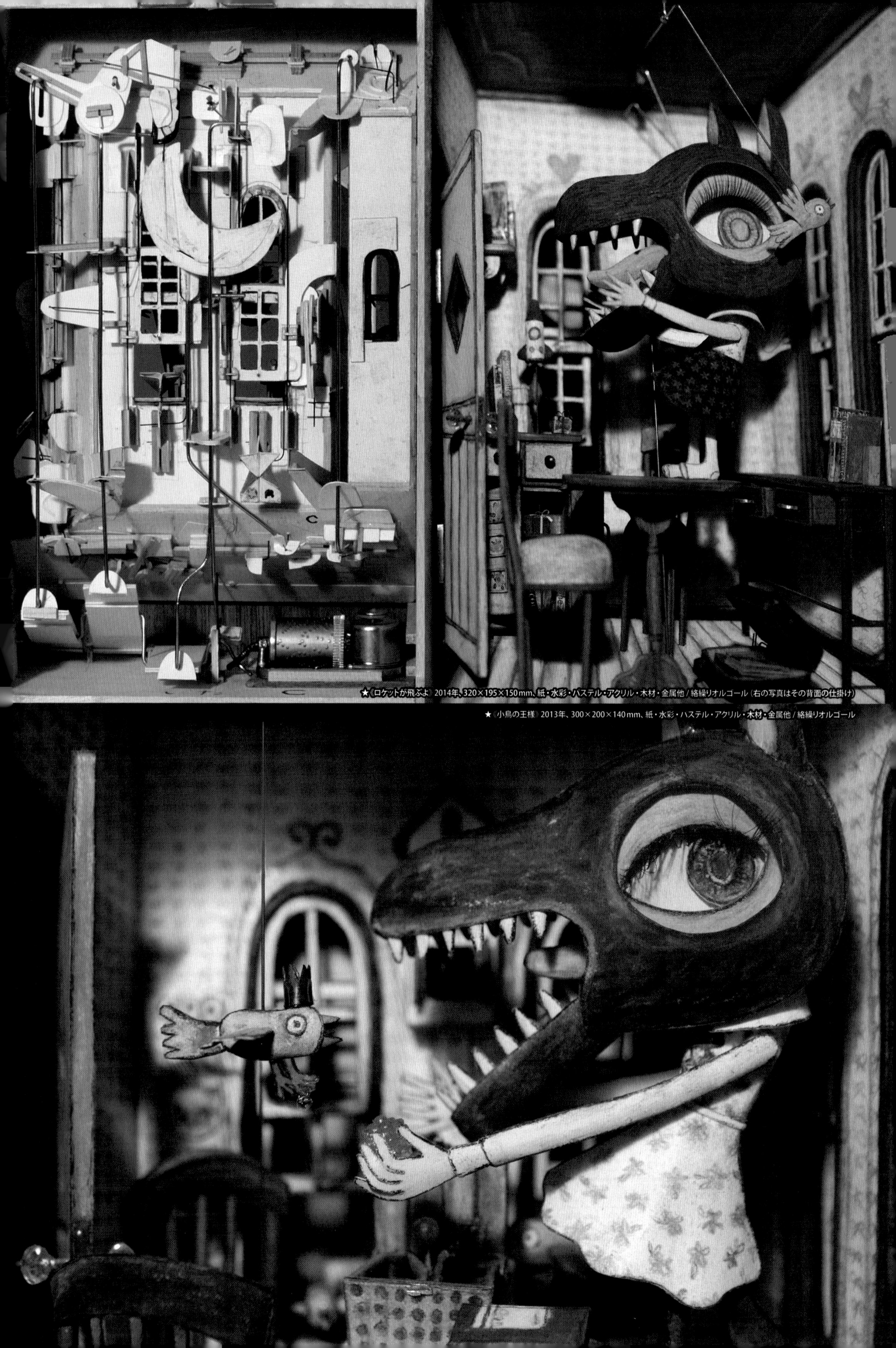

★《ロケットが飛ぶよ》2014年、320×195×150mm、紙・水彩・パステル・アクリル・木材・金属他 / 絡繰りオルゴール（右の写真はその背面の仕掛け）

★《小鳥の王様》2013年、300×200×140mm、紙・水彩・パステル・アクリル・木材・金属他 / 絡繰りオルゴール

★《聖者の行進》2018年、380×540mm、紙・水彩・パステル・オイルパステル・色鉛筆 / 切り貼り絵

★《わたしを弾いて》2021年、350×520mm、紙・水彩・パステル・オイルパステル・色鉛筆 / 切り貼り絵

3
屋根裏の患者
まよなかの 屋根裏から
じょきんじょきんと 聞こえてきたら
それは ねずみがいる証拠
とがったフォークを つきだして
ねずみのけんかに 参戦だ
それから ハサミも つきさして
ねずみの首を ちょっきんだ
「屋根裏の病室の戦い」2010年 270×480×130mm 紙
Hotel
マリアンヌ
HOTEL MARIANNE
オーロラ
15
道案内
家族旅行の 帰り道
いつも看板が 道案内をしてくれて
矢印のとおりに 走ったら
お家の近くへ ついていた
薄暗い夕暮れのなか
車の後部座席から
その看板を ながめていた
あるとき ひとりで迷子になって
真っ暗な夜の道 いつもの看板をみつけた
矢印のとおりに 自転車こいで
たどり着いたら
きらきらきらきら
輝きそびえる 綺麗なお城
なかに入って 狼に食べられた

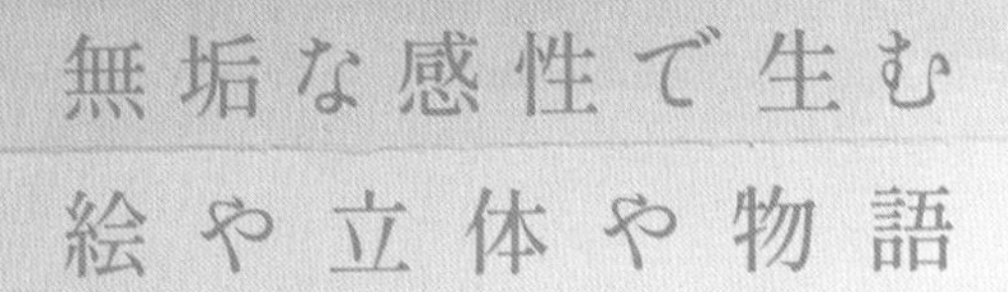

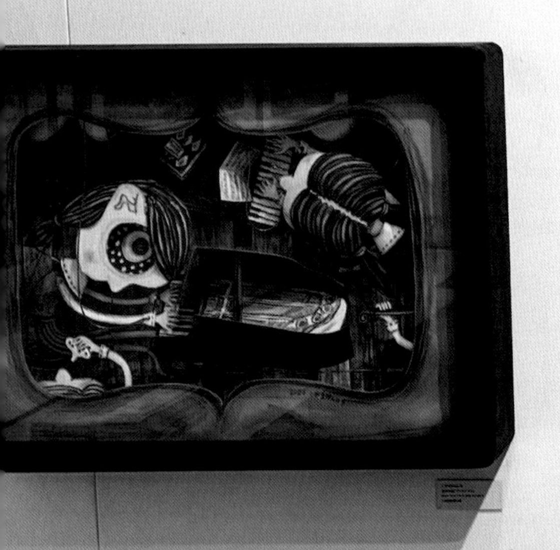

★展示風景
（右頁上）《屋根裏の病室の戦い》2010年、270×480×130mm、
紙・水彩・パステル・色鉛筆・木材他
（右頁下）《ラブホテル》2013年、355×510mm、紙・鉛筆・色鉛筆

少女の痛みや淋しさ、無邪気さや残酷さを描き出した絵本館

★これまでの個展のDM

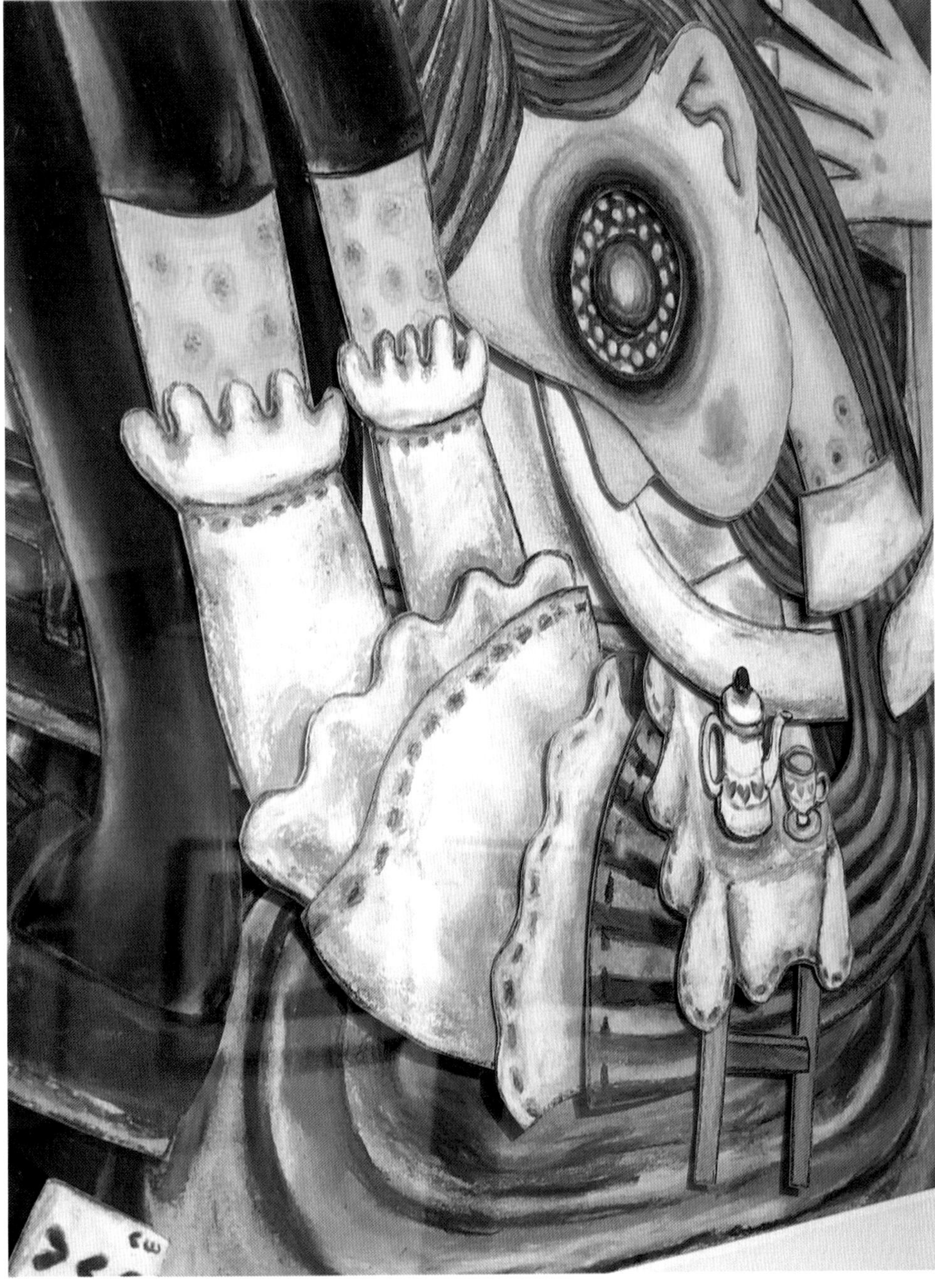

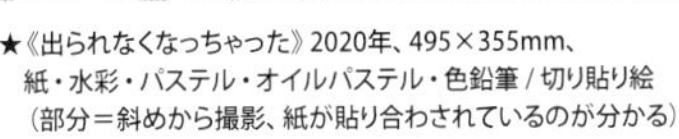
★《出られなくなっちゃった》2020年、495×355mm、
紙・水彩・パステル・オイルパステル・色鉛筆 / 切り貼り絵
（部分＝斜めから撮影、紙が貼り合わされているのが分かる）

★展示風景

こやまけんいちは、絡繰（からく）りオルゴールですっかり人気者になった。ボックスの中に少女や狼、鳥、窓や机、本棚などが配置され、それらがオルゴールの回転力でもって巧みに動く立体作品だ。しかも工業製品のようにきっちり作られているのではなく、紙や板、針金を用い、手作り感あふれるのに緻密に計算された動きをするところが魅力的。そこに描かれる水彩やパステルなどによる絵も、子どもが描くようにラフで素朴なものだ。

そのこやまが、絵や立体作品に詩や文章を添えた「絵本館」のシリーズを始めたのは、2010年。以来、主に少女をモチーフに、シニカルなスパイスをまぶしながら、ときにその痛みや淋しさを、ときにその無邪気さやちょっとした残酷さを描き出してきた。こやまはほぼ毎年、年末年始にビリケンギャラリーで個展を開催しているが、昨年末の個展に際してこの「絵本館」シリーズをまとめた本『ガールグース』が出版され、個展ではその作品がずらり展示された。

こやまの作る立体作品は、手作りの木の箱などに収められ、床や壁などを傾斜させて巧みに奥行きがあるように見せているのが特徴的。オルゴール仕掛けになっていない作品も、手足や目などまで各パーツごとに作られて組み合わされ、立体感を出している。

一方、平面作品は、長辺が50〜60センチあるものも多く、意外と大きく迫力がある。しかもよく見てみれば、一枚の紙に描いているのではなく、立体作品のようにパーツごとに切り抜き、貼り合わせているのも多い。着ている服の一枚一枚が重ね合わされていたりするのだ。かなりの手間に思えるが、パーツや位置関係などを作りながら調整していけるので、結構こうした作り方が自分には合っているのだという。

このようにして生み出された世界、そしてそこに添えられた物語は、ときに突拍子もない発想だったりするが、それは子どものような無垢な感性があってこそだろう。無垢で無邪気だからこそ持ち合わせている恐怖や不安、残酷さや奔放さを、こやまは愛おしさを込めて描き出す。『ガールグース』は、そんなさまざまな少女のスケッチが詰まった一冊だ。

（沙月樹京）

★こやまけんいち
「ガールグース -少女画帳-
こやまけんいち絵本館」
A5判・カバー装・112頁
定価税別2700円
発行・アトリエサード、発売・書苑新社

※「こやまけんいち 画集出版記念と箱絵本展」は、2023年12月16日〜2024年1月14日に、東京・表参道のビリケンギャラリーにて開催された。

◉文＝沙月樹京

秋吉　　巒 AKIYOSHI RAN

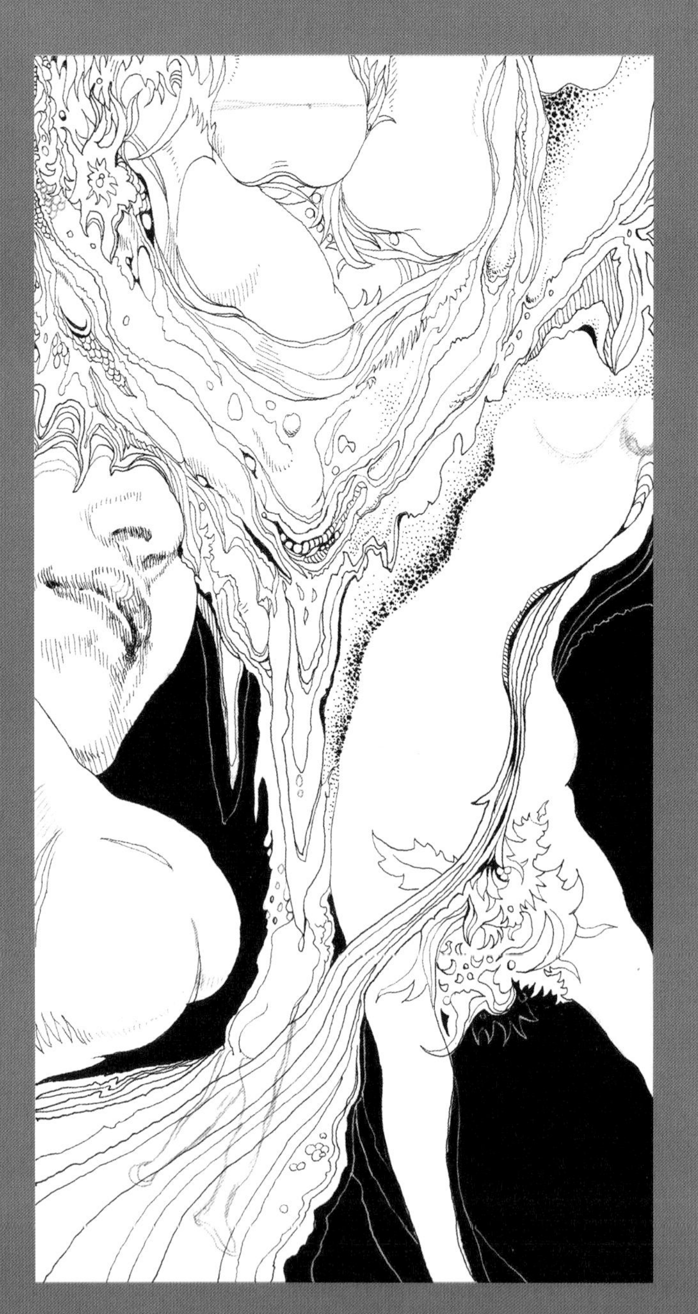

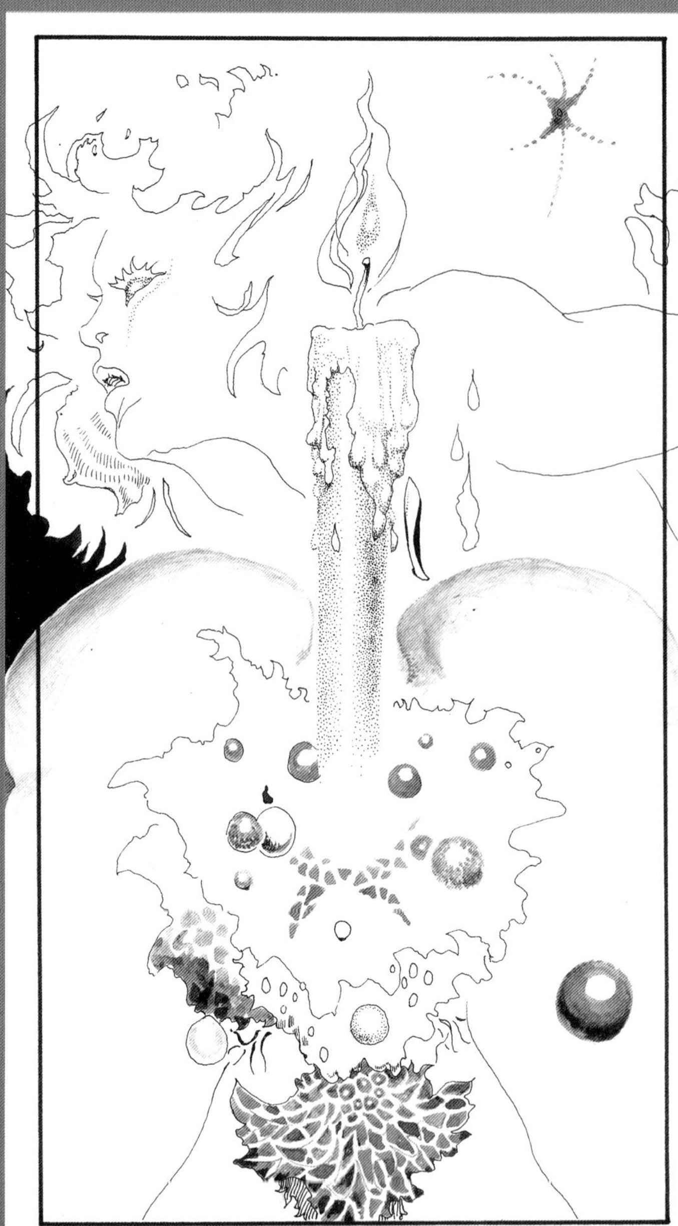

挿画においても
前衛的な幻想を描く